# L'HYPOTHÈSE DE L'HERMINE

*LES MYSTÈRES DE L'APPARTENANCE ET DE LA COHÉSION COMMUNAUTAIRE*

**Jean Pierre Le Mat**

Copyright, tous droits réservés, all rights reserved ©-2023
Jean Pierre Le Mat, Hent Lanvoy, 29590 Ar Faou (Brittany via France)
ISBN : 978-2-9589046-0-9

# Table des matières

# AVERTISSEMENT

Dans ce livre en forme de voyage, nous voguerons sur les forces qui façonnent les communautés et propulsent les identités. D'où vient le sentiment d'appartenance ? Comment expliquer l'attraction communautaire ? Et d'autre part : Pourquoi les langues et les cultures sont-elles si diverses, alors que *tous les hommes sont frères* ?

Les forces de cohésion collective sont complexes et, pour tout dire, imprévisibles. Les relations humaines présentent les mêmes caractéristiques que ce que les mathématiciens nomment les *systèmes chaotiques*. Les unes et les autres sont très sensibles aux conditions initiales. D'autre part, relations humaines et systèmes chaotiques présentent tous les deux des phénomènes de fortes récurrences et des boucles de rétroaction. Au cours des années 70, les objets dessinés par les équations chaotiques ont été dénommés « attracteurs étranges ». Ils reviennent souvent sur leurs pas et présentent un dessin qui laissent supposer de bizarres champs d'attraction. Les relations humaines présentent, elles aussi, de bizarres champs d'attraction. Elles dessinent des objets, nommés « communautés » qui, à l'instar des systèmes chaotiques, peuvent être qualifiées d'étranges.

Je ne suis pas le premier à réfléchir sur l'étrangeté des relations humaines et sur l'énigme de la cohésion. Je vais le faire à ma manière.

J'ai eu l'occasion, dans ma vie professionnelle, de suivre des protocoles scientifiques, ou simplement rationnels, qui permettent d'analyser et de résoudre un problème. Je suis d'autre part un témoin direct et engagé. Pendant de longues années, j'ai été confronté à des faits troublants. L'engagement permet de ressentir des forces et de capter des intentions, à côté desquelles passerait l'observateur extérieur. Il considérerait ces forces comme inexistantes et ces intentions comme trop subjectives. Succomber à l'érudition ou au *professionnalisme*, sur un tel sujet, ne produit qu'un catalogue d'assertions désincarnées. Néanmoins, une compilation de ce que d'autres ont transmis sur ce sujet ne sera pas inutile. Je m'accorderai, lors de notre premier chapitre, un petit tour d'horizon. Cela nous permettra de situer la question et de démarrer notre réflexion sur des bases solides.

Ce livre est réparti en huit chapitres, qui nous mènent vers autant de nouveaux horizons. À partir du cas breton, nous allons cerner le mystère de la cohésion et du sentiment d'appartenance pour faire apparaître l'hypothèse de l'hermine.

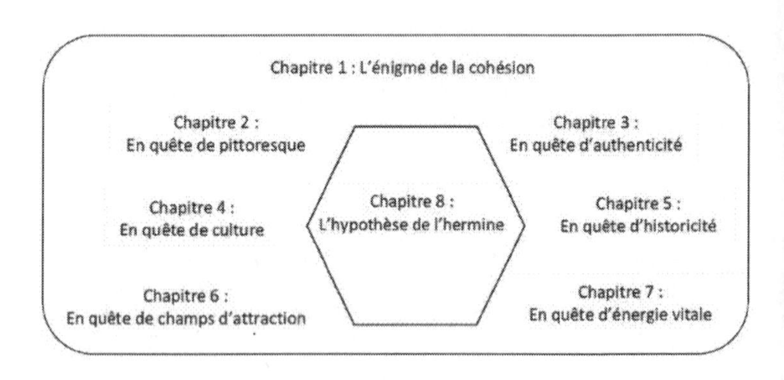

*Premier chapitre*

# L'ÉNIGME DE LA COHÉSION

*Avant d'aborder les mystères de l'appartenance bretonne, ce chapitre nous présente un panorama de ce qu'ont dit ou découvert un certain nombre d'intellectuels de dimension internationale et de différentes spécialités.*

## LES AVANTAGES DU GROUPE

L'éthologie est l'étude du comportement animal et humain. Il est des animaux qui vivent en solitaire, d'autres qui vivent en groupes. Les éthologues observent cette force qui pousse des êtres vivants à vivre ensemble, et à s'organiser pour vivre ensemble.

Pour sacrifier momentanément au vocabulaire usuel, nous utiliserons le terme générique de *« sociétés animales »* et de *« comportement social »*, alors que les termes de *« communautés animales »* et de *« comportements communautaires »* seraient plus appropriés. Pour vivre ensemble, les animaux ne signent pas un *contrat social*. Les divers échanges entre les membres du groupe n'obéissent pas à des impératifs de justice ou d'égalité.

Bien des espèces animales n'ont aucune vie collective. Les brefs intermèdes constitués par les accouplements ne peuvent être considérés comme des actes sociaux ou communautaires. Pour qu'il y ait une communauté ou une société, il faut une proximité permanente, des comportements relationnels, des habitudes partagées. Mon objectif n'est pas de transposer à l'homme les avantages qu'un animal trouve à vivre avec ses semblables. Mais l'observation peut nous aider à comprendre pourquoi, pour parler comme les vieux philosophes, l'homme est un être social ; ou pourquoi, pour parler comme les jeunes évolutionnistes, l'homme social a mieux survécu que le solitaire.

Le premier avantage biologique à la vie en commun serait la facilité reproductrice. Dans un groupe suffisamment large, la probabilité de rencontrer un ou une partenaire, et donc de se reproduire, est plus élevée que dans une population dispersée, où tous les individus vivent isolés les uns des autres.

Pourtant, cette évidence mathématique n'est pas une évidence biologique, loin s'en faut. L'éthologiste D.A. Horr[1] a constaté que les orangs-outangs parvenus à la maturité sexuelle ont tendance à s'éloigner de leur territoire d'origine, les mâles beaucoup plus que les femelles. La probabilité de rencontrer un congénère apparenté se réduit donc. Dans les zoos, neuf couples frères-sœurs de ouistitis sur dix restent des années sans progéniture. Cette répulsion ne concerne pas seulement les croisements consanguins, comme on pourrait le croire à première vue. La même répugnance se manifeste chez les individus élevés ensemble. Et, à l'inverse, si une fille ouistiti est séparée de son père pendant des années, ce dernier se comporte avec elle comme avec n'importe quelle femelle étrangère. C'est comme si la familiarité créait un obstacle à l'attraction sexuelle.

Cette attitude se retrouve aussi dans l'espèce humaine. Bruno Bettelheim note que les enfants élevés ensemble dans les kibboutzim d'Israël ont, en l'absence de toute pression, une tendance quasi générale à chercher – et à trouver, heureusement pour eux - un conjoint en dehors de leur communauté. Boris Cyrulnik[2], ainsi que des psychanalystes freudiens, relient cette observation au tabou de l'inceste.

Le phénomène avait été constaté, il y a longtemps déjà, par le sociologue finnois Edvard Westermarck, qui en a donné une interprétation originale. Westermarck a élaboré une théorie de la *saturation*, due selon lui à la familiarité. Parallèlement à cette approche sociologique, les biologistes darwiniens ont parlé de tendance à la diffusion maximale des gènes. Les éthologues ont évoqué la lutte pour la dominance, avec exil des vaincus. Laissons à d'autres les fièvres et les doutes de l'explication. Contentons-nous de constater : la vie en groupe ne procure pas l'avantage reproductif auquel on pourrait s'attendre.

Un autre avantage reconnu du *vivre-ensemble* est la communauté de défense. Là aussi l'exemple animal ne sera pas inutile.

Les communautés animales ont développé des systèmes défensifs très variés qu'il est possible de classer, grosso-modo, en deux types. Tout d'abord, il existe une défense passive. Tinbergen cite deux exemples significatifs[3]. Les daphnies sont de petits insectes aquatiques, bien connus des possesseurs d'aquariums. Lorsque des poissons carnivores sont mis en présence d'un troupeau très dense de daphnies, ils passent continuellement de l'une à l'autre, et semblent hésiter à choisir leur proie. Cette confusion est profitable à l'ensemble des daphnies, dont le groupe sort moins amoindri d'une telle rencontre que s'il avait été plus dispersé. Le deuxième exemple est celui des chenilles de l'espèce Vanessa Io. Les rossignols de murailles n'attaquent jamais les groupes, mais seulement les chenilles isolées. Il est raisonnable d'imaginer que ce phénomène de défense passive ait pu jouer en faveur de groupes d'Homo Sapiens.

La défense peut être active. Dans les troupeaux d'antilopes, la vigilance du groupe équivaut à celle de l'individu le plus vigilant : c'est lui qui donne l'alerte à tous les autres. Pour lui, le groupe ne présente aucun avantage défensif ; en revanche, pour tous les autres, la vie avec lui constitue un avantage qui peut être vital.

Chacun sait que la meilleure défense, c'est l'attaque ; même les oiseaux le savent, semble-t-il. C'est ainsi que les choucas coopèrent pour repousser un ennemi et le chasser. Ce comportement d'attaque collective s'observe aussi chez les sternes, les moineaux francs et divers oiseaux chanteurs[4]. Konrad Lorenz a même observé ce type de comportement chez les oies domestiques confrontées à un renard. Elles l'entourent et le contraignent à la fuite, comme le feraient des émeutiers face à un policier qui en voudrait à l'un d'entre eux[5].

La défense active a pu conduire à des spécialisations. Dans certaines communautés animales, il existe des individus qui ont pour unique tâche la défense du groupe. Cette spécialisation peut même s'accompagner d'une différenciation morphologique. C'est le cas chez les termites : les « *soldats* » ont des mâchoires en forme de pinces. Dans certaines espèces, les défenseurs sont équipés d'une trompe avec laquelle ils projettent un liquide gluant permettant de clouer l'adversaire sur place. Ces individus n'existent que parce qu'il existe un groupe.

Pour l'espèce humaine, l'avantage défensif du groupe est évident en milieu hostile. Les impératifs de la vigilance et ceux du sommeil ne peuvent être conciliés que par la vie en commun. Les hommes préhistoriques, confrontés à des climats rudes, obligés de disputer leurs habitats à des fauves, ont trouvé un avantage certain à se réunir pour survivre. De plus, si l'on considère que les ossements des gros mammifères découverts dans les cavernes de nos ancêtres constituent des reliefs de leurs repas, alors nous devons admettre que ces repas ne pouvaient être que collectifs. Sinon, la chasse à un gibier moins gros et moins dangereux aurait été plus logique. Et n'oublions pas que la chasse au gros gibier ne peut être que collective : confection des armes, repérages, organisation, chasse proprement dite, transport des animaux abattus.

Au néolithique, la constitution de groupes humains s'explique par autre chose que le seul intérêt défensif. En effet, l'agriculture n'est ni praticable ni utile pour un individu isolé. Plus tard, les premiers monuments de la civilisation, les temples mésopotamiens, les pyramides égyptiennes, les alignements de menhirs, supposent une organisation encore plus large et plus évoluée que celle des premiers agriculteurs. Il faut une société structurée, consciente, éventuellement répressive, dont tous les membres ont en commun une identité culturelle ou religieuse. Seule cette unité peut expliquer la réalisation d'ouvrages de longue haleine, dépourvus d'avantages défensifs ou productifs.

Par l'effet de cette socialisation progressive, les terres ont été défrichées, les grands fauves ont reculé ou ont disparu. Dans ces conditions, la vie en solitaire serait aujourd'hui moins défavorable qu'autrefois. Quand l'environnement devient moins hostile, la structure sociale peut se dégrader. Prenons un exemple dans le monde animal, plus précisément dans les populations de singes, en Inde. Ceux-ci vivaient autrefois en sociétés structurées dans les forêts. Puis ils ont colonisé des temples hindous. Protégés des grands prédateurs, recevant une abondante nourriture de la part des pèlerins, les singes y sont devenus parasites et mendiants. La hiérarchie a disparu et le groupe a perdu sa cohésion. Une telle situation est transposable chez les humains. Des mendiants, des asociaux et des exclus vivent en marge des sociétés civilisées.

La vie en commun présente d'autres avantages que celui de se défendre plus aisément ; elle agit sur l'individu lui-même. Ainsi les procérodes, qui sont des vers marins, résistent mieux aux variations de salure quand ils vivent en groupe que lorsqu'ils sont isolés. Les cafards, soumis à des tests d'orientation, sont plus performants en groupes que seuls[6].

La pie-grièche est un oiseau social qui chante en duo, en trio, et parfois en quatuor. W.H. Thorpe, de l'Université de Cambridge, a remarqué que, lorsque l'on sépare un couple, l'individu isolé commence à chanter à lui tout seul le répertoire des deux. Puis, au bout de quelques jours, son répertoire s'appauvrit pour se réduire aux seuls cris d'alarme. Le phénomène fonctionne dans les deux sens. Plus les pies-grièches sont nombreuses, plus leur répertoire est riche, élaboré, complexe[7].

Les études comparatives portant sur l'anatomie du cerveau confirment les observations précédentes. Les rats élevés dans un milieu social qui les stimule ont un cortex cérébral plus lourd et mieux développé que celui de congénères élevés dans l'isolement. Les expériences de neurobiologistes montrent que les connections entre les cellules nerveuses sont plus nombreuses chez les animaux élevés en société que chez les animaux isolés. Précisons le phénomène : ce n'est pas le fait d'être avec les autres, mais c'est l'expérience communautaire qui détermine le développement cérébral. Un animal résidant au milieu de ses semblables, mais séparés d'eux par un grillage qui l'empêche de se frotter aux autres et de participer à la vie du groupe, présente un retard cérébral analogue à celui d'un rat isolé[8].

Chez beaucoup d'espèces animales, la communication avec des semblables améliore les performances individuelles. S'agit-il d'un phénomène d'induction, d'émulation, ou d'un phénomène d'un type encore inconnu ? Peut-on établir des analogies avec les phénomènes humains ? Il est difficile de répondre avec précision. Toutefois, le cas des sociétés animales éclaire de façon intéressante la question de la socialisation de l'homme.

## LES BIOLOGISTES

Avant de parler de *cohésion sociale* et de *vivre-ensemble*, les biologistes ont parlé de *sélection naturelle* et de *lutte pour la vie*. Ce que l'on a appelé le *darwinisme social* est un ensemble de convictions qui tournent autour de l'idée que le combat de tous contre tous est un phénomène naturel.

La *sociobiologie*, héritière du darwinisme social, s'est popularisée aux États-Unis au cours des années 70 du XXe siècle. Elle pose la question des solidarités sociales, alors que la théorie de l'évolution stipule que ceux qui survivent le mieux sont ceux qui sont à la fois les plus forts et les moins portés à se sacrifier pour les autres. La sociobiologie étudie les bases biologiques possibles des comportements sociaux. Par extension imprudente, elle pourrait affecter aux comportements sociaux une origine purement biologique. À cause de ce possible dérapage, la sociobiologie a été considérée dès le départ comme une entreprise idéologique. Un tel débat n'entre pas dans notre cadre de réflexion. Contentons-nous de dire que les sociobiologistes, par l'hypothèse du *culturgen*, le gène qui porte et transmet des comportements sociaux, apportent une explication originale aux comportements humains, dont celui de la cohésion sociale. La solidarité étant un comportement que tout le monde peut constater, les sociobiologistes suggèrent qu'il pourrait exister un gène de l'altruisme.

Richard Dawkins (1941-...) a élaboré une autre théorie, celle du *gène égoïste*. Nous en avons parlé antérieurement dans notre réflexion sur la manière de coder la pensée. La première idée est que le schéma darwinien *reproduction-mutation-sélection* s'applique d'abord aux gènes avant de s'appliquer à l'individu ou aux communautés. Ainsi le sacrifice d'un parent pour ses enfants s'explique par une logique de perpétuation des gènes, avant la sauvegarde de l'individu. Le gène égoïste peut expliquer le comportement parental, mais n'explique pas toutes les solidarités qui existent. Dawkins émet alors une deuxième idée, que j'ai évoqué aussi dans le livre « L'identité contre la raison ». C'est l'hypothèse de l'existence d'un autre réplicateur que le gène, obéissant lui aussi au schéma darwinien. Dawkins a nommé cet autre réplicateur le *mème*. Le gène est l'unité de codage génétique ; le mème est l'unité de codage mémoriel. Les communautés sont des ensembles cohérents de pensées, de savoirs, de croyances et de comportements. Les *valeurs communes* et la *mémoire collective* sont des ensembles de mèmes. Les valeurs communes et les mémoires collectives, qu'elles soient nationales, religieuses ou familiales, favorisent la cohésion du groupe.

Dans une toute autre approche du *vivre-ensemble*, le primatologue Nicholas Humphrey (1943-...) note que l'intelligence des grands singes ne leur sert pas à satisfaire des besoins vitaux. Pour la survie biologique, il n'y a aucune pression évolutive sur l'intelligence, comparable à l'avantage que procure la force musculaire ou la résistance aux maladies. Le « surplus d'intelligence » des grands singes correspond en fait à des avantages dans la vie sociale. Chez les humains il en est de même. L'avantage intellectuel ne s'explique que parce que l'intelligence est une qualité utile dans une organisation sociale complexe. Elle permet de reconnaître les individus, de savoir qui fait partie du groupe, de les garder en mémoire, d'optimiser les interactions. Le surplus d'intelligence étant façonné par la vie en commun, il conduit à percevoir l'environnement à travers le prisme des interactions et des nécessités sociales.

## LES PENSEURS POLITIQUES

Avant les théoriciens du comportement animal, les premiers penseurs politiques modernes ont théorisé le comportement humain. Ils ont postulé que l'égoïsme est général dans notre espèce. Selon le florentin Nicolas Machiavel (1469-1527), les hommes agissent par intérêt. L'intérêt collectif, en revanche, n'est pas naturel ; c'est une construction. La politique est l'art de construire la *res publica,* la chose publique. L'intérêt collectif est de la responsabilité du dirigeant, le *Prince,* même si son penchant naturel est de rechercher d'abord son propre intérêt. Pour Machiavel, le dirigeant est le personnage-clé de la politique. Le peuple est, soit passif, soit attentif uniquement à ses intérêts particuliers. La « vertu » que conseille Machiavel aux dirigeants est un mélange de vision à long terme, d'efficacité et d'autorité.

La conception du *vivre-ensemble* de Machiavel est minimale. Un penseur anglais, Thomas Hobbes (1588-1679), part du même principe que l'Italien. Pour lui aussi, l'individu est égoïste et dangereux. Toutefois, l'environnement politique qu'observent l'un et l'autre n'est pas le même. Alors que l'Italien Machiavel ne voyait autour de lui que des républiques faibles, qui ne maintenaient leur unité que grâce à des hommes forts, l'anglais Hobbes est confronté à l'inverse : les institutions britanniques sont puissantes et les monarques sont faibles. A situations différentes, pensées différentes. Chez l'Anglais, la cohésion sociale prend consistance sous la forme d'un dragon biblique, le Léviathan. En électromagnétisme, la charge négative attire vers elle toutes les charges positives qui, sinon, auraient tendance à s'écarter les unes des autres. Hobbes identifie l'État moderne à ce principe à la fois négatif et unificateur. L'État-Léviathan est monstrueux, mais ses institutions transforment les individus égoïstes en associés. La cohésion sociale est une réaction des individus confrontés à une puissante force extérieure.

John Locke (1632-1704) et bien d'autres penseurs politiques empruntent une tout autre voie. Ils considèrent que la cohésion sociale est un phénomène interne. Elle réside dans le peuple lui-même, et non dans des dirigeants puissants ou dans des institutions coercitives. Ce n'est ni le Prince de Machiavel, ni le Léviathan de Hobbes, mais l'activité laborieuse qui unit les humains. Le travail crée la richesse et fonde les relations humaines. Il crée des réseaux d'échanges. Les solidarités et la cohésion d'ensemble ne sont que le résultat des interactions économiques, parce qu'il faut bien manger, se vêtir, habiter quelque part, se protéger, se distraire. L'explication économique de la cohésion sociale a été développée par les penseurs libéraux et les penseurs socialistes, qui en ont tiré des conclusions diverses. Les deux écoles ont structuré la vie politique dans de nombreux pays, dont la France.

Jean-Jacques Rousseau (1712-1778) a introduit l'idée de *contrat social*. Le contrat social postule au départ une masse amorphe d'individus bien intentionnés. La nature, c'est eux. Ils sont libres et égaux. La société est une construction dont ils décident volontairement, en toute connaissance de cause. La *volonté générale* établit des droits et des devoirs qui sont forcément rationnels, parce qu'ils sont déduits de la décision collective d'individus libres et égaux.

Toutes les sociétés, émanations de la Raison, devraient se ressembler et exprimer une bonté collective. Or il n'en est rien et Jean-Jacques le déplore. Non seulement les sociétés sont diverses, mais elles sont vicieuses. Les interactions sociales pervertissent les individus. Le contrat social est le gendarme qui maintient un ordre nécessaire, mais artificiel ; la cohésion n'est donc finalement qu'une illusion.

À l'autre extrémité du spectre intellectuel, l'allemand Johann Gottfried Von Herder (1744-1803) développe l'idée d'une cohésion organique de la société, ou plutôt de la communauté nationale. Il existe selon lui des *génies nationaux* auxquels les individus se rattachent. Chaque homme possède une âme, chaque communauté humaine aussi. Il existerait des *âmes nationales,* ce qui justifie non seulement des institutions propres, mais des spiritualités particulières à chaque communauté culturelle. En cherchant une manifestation concrète, objective, de cette âme nationale, Herder met en avant la culture populaire, ainsi que la langue. Herder est considéré comme un théoricien du nationalisme et du relativisme culturel. De tous les penseurs politiques, c'est lui qui a du « vivre-ensemble » la conception la moins utilitaire.

Où en est-on aujourd'hui ? Les différents points de vue cohabitent. En France, l'influence des penseurs français est prédominante, compte tenu en particulier des programmes obligatoires d'éducation. Toutefois, les repères officiels ne sont plus aussi contraignants qu'autrefois. Les observateurs constatent un glissement de la cohésion sociale vers une cohésion communautaire. Le politologue Jérôme Fourquet[9] décrit la dislocation du socle catho-républicain. Sous le vernis du social et du sociétal, la France est devenue un archipel d'intérêts, de cultures, de corporations. Les élites, elles aussi, font sécession. Voilà un contexte intéressant pour se pencher sur la cohésion sociale et imaginer le *vivre-ensemble* de demain.

## LES SOCIOLOGUES

L'examen sociologique du vivre-ensemble ne date pas de l'invention du terme « sociologie ». Ibn Khaldoun (1332-1406) nomme la cohésion de groupe, forte dans les tribus bédouines, du nom arabe *asabiyya*. Il en fait une caractéristique des communautés nomades du désert. L'asabiyya s'affaiblit avec la vie sédentaire, l'urbanisation, la montée en puissance des contraintes sociales. Étonnamment moderne, Ibn Khaldoun rêve de conjuguer l'asabiyya avec les progrès techniques, tout en admettant qu'il y a là une contradiction. Les progrès techniques rendent la vie facile. Ils inclinent à la paresse et à l'accumulation de richesses. L'individualisme devient alors la règle. Les « modérateurs », qui faisaient vivre les solidarités tribales, sont remplacés par des représentants du gouvernement, des fonctionnaires.

Auguste Comte (1798-1857) a popularisé le terme de *sociologie*. Selon lui, la cohésion n'a rien de naturel ; elle ne peut être assurée que par un pouvoir politique : *« ... Les instincts qui nous poussent à l'isolement ou aux conflits sont naturellement plus énergiques que ceux qui nous disposent à la concorde. Or, telle est la destination générale propre à la force de cohésion sociale désignée partout sous le nom de gouvernement, qui doit à la fois contenir et diriger »*[10].

L'allemand Ferdinand Tönnies (1855-1936) a théorisé la différence entre communauté et société. Le vivre-ensemble communautaire correspond à des proximités. La proximité peut être affective, culturelle, géographique, religieuse, morale. Elle se double d'une communauté de parlers, de souvenirs et d'activités. Dans une société, le vivre-ensemble est différent. Il est lié à des lois et à des normes, administrées et imposées par un arbitre, l'État.

Émile Durkheim (1858-1917) a cherché les raisons qu'ont les humains de vivre ensemble. Il considère que, dans les sociétés traditionnelles, les activités de production sont peu différenciées. Dans les sociétés modernes, la division du travail fait que les individus ne se ressemblent plus, et de ce fait deviennent dépendants les uns des autres. Durkheim considère que l'interdépendance crée une solidarité organique. Il utilise aussi le concept de « représentations collectives », en faisant de la collectivité une réalité *sui generis* et non seulement une agrégation d'individus.

Selon Max Weber (1864-1920), les liens sociaux obéissent à deux dynamiques. La *communalisation* se fonde sur le sentiment, l'éthique ou la promesse. La *sociation* se fonde sur des règles rationnelles et des normes juridiques.

Selon Pierre Bourdieu (1930-2002), la cohésion sociale résulte pour l'essentiel du système scolaire qui formate les citoyens, pour le bénéfice de l'État. *« Les agents sociaux correctement socialisés, ont en commun les structures logiques, sinon identiques, tout au moins semblables, en sorte qu'ils sont comme des monades leibnitziennes, qui n'ont pas besoin de communiquer, de collaborer pour être accordés »*[11]. En France, l'unité *nationale* et l'intégration se font sur des valeurs universelles que l'État s'est approprié.

Constatons une proximité entre les deux sociologues allemands, Tönnies et Weber, sur l'importance du lien communautaire. Et constatons aussi la proximité entre les sociologues français sur l'importance du pouvoir politique et administratif.

En marge de ces deux visions de la cohésion sociale se développent des pensées originales. Ainsi Maurice Halbwachs (1877-1945) observe la constitution de *mémoires collectives* de dimension historique. La mémoire collective s'élabore par nos fréquentations et nos interactions. Elle fonde les liens sociaux et explique les continuités. Les souvenirs sont des reconstructions à partir d'une identité, individuelle ou collective. Selon Halbwachs, il ne faut pas limiter une société à une réalité psychique, à une réalité organique ou à une réalité physique. Elle est tout cela à la fois. « *Une société, réalité psychique, ensemble de pensées et tendances collectives (...) a cependant un corps organique, et participe aussi à la nature des choses physiques. C'est pourquoi elle s'enferme, à certains égards, elle se fixe dans des formes, dans des arrangements matériels qu'elle impose aux groupes dont elle est faite* »[12]. La société prend consistance à partir des représentations que s'en font les hommes ; en retour, la mise en commun des représentations crée une cohésion entre ceux qui composent la société. Maurice Halbwachs, d'ascendance alsacienne, réalise une synthèse originale entre la sociologie française et la sociologie allemande.

Nous n'allons pas faire le tour de tout ce que les sociologues ont dit du *vivre-ensemble*. Retenons seulement qu'ils n'en limitent ni les causes, ni les formes. Gardons aussi à l'esprit que leurs pensées n'ont finalement rien d'universel ; elles sont les fruits de leur éducation et de leur époque. La différence entre sociologues français et sociologues allemands en est une illustration convaincante.

## LES PSYCHOLOGUES

Là où les sociologues parlent de cohésion sociale, les psychologues y voient la question du sentiment d'appartenance. Une branche particulière de la psychologie, la psychologie sociale, étudie les interactions entre les pensées ou les émotions individuelles et l'environnement social.

Les pionniers de cette discipline se sont intéressés aux foules, c'est-à-dire aux individus qui se rassemblent plus ou moins spontanément. En France, Gustave Le Bon (1841-1931) voit dans l'organisation sociale une opération de suggestion, qui permet à des chefs de se faire obéir, en usant de leur prestige. En Allemagne, Serge Tchakhotine (1883-1973), chercheur d'origine russe, décrit la montée du nazisme dans son livre « *Le viol des foules par la propagande politique* » paru en 1939. Tchakhotine est un observateur engagé ; il fait partie du Front d'Airain, qui rassemble les opposants de gauche à Hitler ; il analyse leur aveuglement et cherche à leur donner des outils efficaces de contre-propagande. Aux États-Unis, Gregory Bateson (1904-1980) met au point les techniques de la *guerre psychologique* des services américains de renseignement contre l'Allemagne pendant la guerre 39-45. Puis il met ses compétences au service du maintien d'un ordre mondial après-guerre, en particulier dans les colonies.

L'utilisation de la psychologie sociale à des fins politiques n'est heureusement pas la seule et l'appartenance n'est pas seulement l'objet de manipulations. D'autre part, le sentiment d'appartenance ne concerne pas seulement les sociétés, mais aussi les communautés : appartenance à une religion, à une famille, à une profession ; sans parler de l'appartenance à un territoire ou à une histoire.

Sigmund Freud (1856-1939) s'est intéressé aux faits sociaux en partant, non pas des sentiments, mais des traits d'ordre biologique. Il cherche l'explication des faits sociaux dans les instincts individuels. L'instinct de mort défait les relations sociales. L'instinct de vie, la libido, est au contraire créateur de liens. La figure paternelle, en introduisant une censure, détourne la libido vers une relation sociale contrainte. Bronislaw Malinovski (1884-1942) apporte une confirmation à cette hypothèse en montrant que, dans les groupes primitifs, lorsque la censure est plus faible, les névroses diminuent mais la cohésion sociale diminue aussi. On peut observer par ailleurs que, dans les familles qui censurent, la puberté est le moment des pensées sociales chevaleresques, des actes désintéressés, de l'esprit de sacrifice. Pour Freud, la cohésion sociale se fait par l'attachement à la figure, visible ou invisible, d'un meneur. Celui-ci peut être le père, le chef de guerre, le dirigeant politique, la divinité.

Aux instincts communs, Carl Gustav Jung (1875-1961) ajoute un second groupe d'éléments qu'il nomme *archétypes*, l'ensemble constituant ce qu'il nomme l'*inconscient collectif*. Les archétypes sont les briques élémentaires sur lesquelles se construisent les représentations mentales. Jung affirme que l'inconscient collectif et les archétypes sont innés et universels. Cette affirmation arbitraire d'universalité empêche d'expliquer le sentiment d'appartenance ou la cohésion sociale par l'inconscient collectif. Le blocage des investigations sur une pluralité d'inconscients collectifs est à relier au trauma du nazisme et à la crainte d'une accusation de racisme.

## LES ANTHROPOLOGUES

La différence que je fais entre sociologues, psychologues et anthropologues est artificielle, car les chercheurs en sciences sociales ne peuvent être limités à une catégorie. Ainsi, Gregory Bateson, que nous avons rencontré comme spécialiste de la guerre psychologique est aussi un brillant anthropologue. Nous lui devons le concept de *schismogenèse* pour expliquer des comportements sociaux. Il peut exister des injonctions contradictoires entre les devoirs sociaux d'une part, les désirs ou les besoins d'autre part. La schismogenèse pourrait expliquer les situations d'assistance et de dépendance, et plus positivement d'appartenance.

La *participation mystique* est un autre concept, attribué à l'anthropologue Lucien Lévy-Bruhl (1857-1939). Comme le concept de schismogenèse, il vient de l'observation de peuples dits *primitifs*. Le primitif n'est pas rationnel ; il ne voit pas le lien entre la cause et l'effet. Il relie les êtres, les choses ou les événements à des symboles. Les symboles, outre leur rôle de représenter, ont pour rôle de rassembler. La *participation mystique* est la communauté de pensées et d'action qui s'établit à l'ombre d'un symbole.

Si nous sortons le concept de son époque, nous pourrions l'appliquer aux sociétés modernes. Le drapeau national est un symbole unificateur. Pendant les guerres, il justifie que des milliers d'individus se sacrifient sous son ombre. La participation mystique des populations dites *supérieures* est évidente lors de fêtes nationales, de commémorations, de matchs de football.

Par son concept du *fait social total*, Marcel Mauss (1872-1950) fait de la société un système à part entière, dont on ne peut décomposer ou isoler les rouages. Il en est de même de l'*homme total* : on ne peut pas isoler un comportement particulier d'un individu du reste de ses habitudes. La relation sociale crée une obligation, dont on ne peut se libérer que par une contrepartie. Dans son ouvrage *« la cohésion sociale dans les sociétés polysegmentaires »*[13], Mauss considère que, dans les sociétés dites *primitives, « la notion de souveraineté n'épuise pas les formes de la cohésion sociale, ni même celles de l'autorité ».* En revanche, *« l'État n'est l'appareil juridique unique de la cohésion sociale que dans nos sociétés à nous ».* Dans les deux cas, la cohésion sociale est une question d'autorité, d'éducation et de tradition, bref de discipline.

Selon Claude Lévi-Strauss (1908-2009), l'échange, la réciprocité et la règle sont les trois dimensions sociales de l'humanité[14].La prohibition de l'inceste et l'exogamie, en obligeant le groupe à s'ouvrir, permet des articulations plus souples, des solidarités plus efficaces et finalement une plus grande cohésion. Lévi-Strauss a été un infatigable chercheur d'*universaux* dans les sociétés. Mais il est conscient que s'il n'existe plus que des universaux, les sociétés deviennent irrespirables. Il estime indispensable *« cette multitude de petites appartenances, de menues solidarités qui préservent l'individu d'être broyé par la société globale, et celle-ci de se pulvériser en atomes interchangeables et anonymes ».*

Dans la continuation d'Arnold Van Gennep (1873-1957), l'anthropologue écossais Victor Turner (1920-1983) considère que les rituels sont des dispositifs fondateurs de la cohésion communautaire, dans les communautés primitives comme dans les communautés modernes. Les rituels permettent aux communautés de se former, de se maintenir, de résoudre les conflits. Les rites cycliques renouvellent le pacte de la communauté avec l'environnement et les forces, naturelles ou spirituelles, qui l'anime. L'entrée dans la communauté, et l'appartenance à celle-ci, s'officialisent par des rites de passage.

Les études sur les sentiments d'appartenance sont particulièrement variées et les frontières entre les sciences sociales sont floues. Synthétisons en quelques phrases les constantes de ces études. Tout d'abord, le sentiment d'appartenance ne peut pas se former chez un individu isolé ; il faut qu'il ait conscience d'une collectivité qui lui soit accessible. Il faut aussi qu'il soit accueilli dans cette collectivité, ou pour le moins accepté. L'appartenance est associée à des *valeurs* partagées, et plus globalement à des comportements, des sentiments, des émotions, des souvenirs communs. L'appartenance est liée à des proximités, réelles ou seulement ressenties. Le sentiment d'appartenance permet à l'individu de construire son identité.

## RÉENCHANTER LE VIVRE-ENSEMBLE

La science moderne apporte des explications générales. Mais ses réponses sont insuffisantes et trop imprécises à mes questions. Elle ne m'explique pas précisément mon sentiment d'appartenance à moi, ni la permanence de ma communauté, la communauté bretonne. En fait, je ne dois pas m'en étonner. À tous les problèmes qu'elle rencontre, la science moderne cherche le *big bang*, c'est-à-dire une origine commune et des lois universelles. Les singularités, cohésions et appartenances concrètes ne sont, ne peuvent être, que des déclinaisons périphériques.

Les penseurs modernes que nous venons de voir défiler ont tous un air de famille. Ils observent le monde, ils le survolent. Ils en révèlent des règles générales. Ils postulent la précédence du grand sur le petit, de l'universel sur le particulier... Je ne suis pas convaincu... Est-ce parce que je suis né quelque part, dans un Finistère, un bout du monde ?

Je suis né quelque part et je ne suis pas le seul. L'universel, incarné par les impérialismes des temps passés, ne m'attire pas. En revanche, je constate avec plaisir que l'attrait pour le singulier réapparaît doucement autour de moi. Il avait disparu depuis deux bons millénaires, avec la défaite des paganismes. Sans doute cette disparition ne concerne-t-elle que les annales européennes citadines. Les dragons de la diversité s'étaient réfugiés chez ceux qui furent nommés « primitifs », ainsi que dans les campagnes muettes, éloignées des centres urbains.

Notre monde moderne porte en lui le goût de la pensée, la passion du jugement, la nécessité de l'information. Il s'épanouit dans les grandes cités. Les campagnes sont différentes. Elles inclinent à la muette observation. La *réussite* du citadin dépend de l'emprise de sa pensée sur les êtres et sur les choses. Il n'en est pas de même pour le campagnard. Il se laisse imprégner par ce qui l'environne. Dans la nature, observer la singularité est une nécessité vitale. Pour l'homme des champs, le temps qu'il fait, aujourd'hui et ici, a précédence sur l'évolution globale du climat, même si l'avenir ne lui est pas indifférent ; les récoltes, concrètes, vitales, dépendent du climat de l'année en cours, non pas du climat de 2050. Le singulier de son environnement familier précède l'universel planétaire. L'homme des villes plaint son étroitesse d'esprit et réprouve sa méfiance pour les concepts.

Je veux défendre ici l'homme des champs. Je veux défendre l'observateur muet, le primitif, le paysan, le païen. Paradoxalement, je vais pouvoir les défendre avec les armes que m'a fourni la modernité.

Quelles sont ces armes ? Les premières sont les archives qui relatent les intuitions et les expériences des anciens et des primitifs. La cohésion collective et l'appartenance sont des questions qui ont fasciné les hommes bien avant que ne naisse la science moderne. Les archives de la modernité peuvent se retourner contre elle.

La seconde arme est l'observation des animaux, ainsi que les études qui s'y rapportent. La vie collective, les synchronisations, les rapports sociaux sont des phénomènes vitaux. Ils font partie, sous une forme ou sous une autre, des potentiels de toutes les espèces vivantes. A priori, il n'y a aucune raison pour que ces potentiels et ces instincts aient complètement disparu chez l'homme. Ce qui soude les communautés animales doit exister, d'une façon ou d'une autre, dans les communautés humaines.

La troisième arme est la remise en cause des certitudes scientifiques par des scientifiques décomplexés. Les physiciens quantiques ont été les premiers à douter de la dualité entre le sujet et l'objet. Puis sont venus ceux qui soupçonnent que la nature ne fait pas n'importe quoi, alors qu'elle devrait être soumise aux lois du hasard. Les mathématiciens ont calculé que la vitesse de l'évolution des êtres vivants est trop rapide par rapport aux prévisions. L'évolution biologique serait-elle *orientée* ? Le pourcentage des différents gaz de l'atmosphère, la place de notre planète dans la galaxie, toutes les conditions qui permettent la vie sont excessivement improbables. Comment expliquer la liste interminable de ces anomalies ? Je ne veux pas me contenter de l'alternative entre un hasard qui, comme le dit le proverbe, *fait bien les choses*, et l'hypothèse paresseuse d'un Dieu bricoleur.

Pour réenchanter le vivre-ensemble, nous allons franchir des frontières que la science moderne s'impose à elle-même.

## PENSER COMME UNE PÉNINSULE

Nous avons tendance à penser le *vivre-ensemble* dans un contexte d'intérêts bien compris entre les individus d'une même société. Bien des primitifs ont du *vivre-ensemble* une conception beaucoup moins triviale. Ils élargissent le vivre-ensemble aux animaux, aux éléments naturels, ainsi qu'aux ancêtres.

Nos savants nomment « animisme » la croyance que les êtres sont animés par un principe immatériel, nommé communément *l'âme*. Les plus observateurs indiquent qu'il ne s'agit pas d'une croyance, encore moins d'un dogme ; la relation avec les âmes est avant tout une *expérience*. La tâche est confiée à certaines personnes à qui on fait confiance et que l'on charge d'une intercession. Ces personnes sont, selon les pays et les rites qui accompagnent l'opération, nommées chamanes, sorciers, exorcistes. Faute de mieux, nous leur donneront l'appellation commune de *mystiques*.

C'est un lieu commun de rappeler que « religion » vient du latin « religere » qui signifie « relier ». Les grands créateurs de religion, Jésus, Mahomet, ont été les promoteurs de nouvelles relations entre les hommes, autour d'une discipline, de rites, d'une croyance commune. Les religions constituent un phénomène humain si général, sur tous les continents et à toutes les époques, que celui qui étudie le vivre-ensemble ne doit pas se priver d'un tel trésor d'expériences.

Tous les adeptes d'une religion ne sont pas des mystiques, et tous les mystiques ne sont pas adeptes d'une religion. Le mystique est celui qui entre en relation avec des entités immatérielles. Il se peut que ce soit l'âme d'un autre individu, mais aussi l'âme d'une tribu, d'un troupeau d'animaux, d'un lieu. Le totémisme donne une représentation matérielle aux âmes collectives. De nombreux peuples, sur une durée de temps très longue, dans des parties du monde très diverses, ont imaginé l'existence d'âmes collectives.

L'animisme n'est pas un délire de sauvages et il irise parfois la surface de notre civilisation avancée. Ainsi, un des initiateurs de la protection de l'environnement, l'ingénieur forestier américain Aldo Leopold (1887-1948), nous recommande de « penser comme une montagne ». En Bretagne, nous avons des monts sacrés. J'habite non loin de l'un d'entre eux, le Menez Hom. Mon animisme serait de penser *comme* le Menez Hom, et, au-delà, d'être *en phase* avec toutes les composantes de mon environnement naturel et humain. Vivre ensemble, ce n'est pas seulement gérer des interactions, fussent-elles socialement utiles, justes et équilibrées. En Bretagne, il serait bon de *penser comme une péninsule*.

En suivant Aldo Leopold, me suis-je égaré ? Non, je rejoins plutôt des précurseurs. Une personnalité légale a été attribuée en 2017 au Mont Taranaki, ainsi qu'au fleuve Whanganui, par l'État de Nouvelle-Zélande. Des éléments naturels sont ainsi reconnus comme faisant partie de la société néo-zélandaise, à moins que ce ne soit l'inverse. Bien des défenseurs de la nature – pas tous – sont proches des animistes, même s'ils n'osent se l'avouer.

*Vivre-ensemble* peut être autre chose qu'un slogan politique simpliste et démagogique. Lorsque le *vivre-ensemble* passe du social à l'écosystémique, il prend alors un sens à la fois nouveau... et très ancien.

# COMMUNIQUER AVEC D'AUTRES

La capacité à échapper au calcul et au prévisible est une des qualités les plus intéressantes des relations humaines. Elles échappent aussi à la représentation. Décrire une communauté, tout comme décrire un individu, laisse toujours une impression d'inachevé. Il reste toujours une part qui ne peut pas passer par la description : des sensations, un ressenti, un potentiel. Certaines connaissances, individuelles ou collectives, ne peuvent pas être exprimées, parce qu'elles sont refoulées.

D'autre part, des savoirs liés aux relations semblent échapper, non seulement à la représentation, mais aussi à la trame de l'espace et du temps. Le savoir relationnel a été observé chez les animaux. Il y a un siècle, le neurophysiologiste russe Vladimir Mikhaïlovitch Bechterev (1857-1927) a expérimenté la capacité des chiens à saisir l'intention d'un humain, ou à obéir à un ordre qui n'est communiqué que mentalement. Par ailleurs, de nombreux propriétaires d'animaux de compagnie ont constaté leur capacité à pressentir le retour du maître. Depuis Bechterev, les éthologistes ont mené diverses expériences bien calibrées, en enregistrant les réactions de l'animal, seconde par seconde, et en demandant au maître de modifier l'heure du retour, de changer de véhicule, de changer de vêtements ou de parfum. La précognition de certains chiens a été constatée, sans être expliquée jusqu'à présent, sauf par des mots comme « flair », « empathie » ou « télépathie ». Des phénomènes similaires ont été rapportés dans l'autre sens. Des cas de précognition du maître sont relatés lorsque le chien se blesse ou meurt à des dizaines de kilomètres. Il a aussi été rapporté la capacité des animaux, les loups par exemple, à retrouver la meute, ou des chiens domestiques à retrouver leur famille d'adoption, dans des lieux qu'ils ne connaissent pas. Des phénomènes troublants ont aussi été rapportés entre humains.

Les humains et leurs animaux familiers ne sont pas les seuls à faire preuve d'un savoir relationnel inexpliqué. J'ai l'occasion d'observer les vols des oiseaux, en particulier des choucas qui nichent au printemps dans les cheminées et survolent les maisons d'alentour. Pendant la journée, ils s'affairent et se déplacent par couple, parfois par trio. L'accord du groupe est évident. Quelle que soit la façon dont je les effarouche, ils se retrouvent sur le même arbre, sur la même cheminée ou sur la même pelouse. Ils ne se heurtent jamais, même lorsque je les affole. Les soirs de printemps, quand tous les choucas s'assemblent en nuées, la coordination est globale. Il arrive que des groupes s'autonomisent mais, après quelques secondes, ils rejoignent la nuée. Les deux accords, celui du groupe et celui de la nuée, ainsi que leur alternance qui parait aléatoire, est une réalité sans explication.

Les recherches sur les nuées d'oiseaux sont peu nombreuses. Les unes parlent de *transmission de pensées*, d'autres de *communication électromagnétique.* D'autres encore ont imaginé l'existence d'un groupe d'initiateurs, que les autres oiseaux se contentent d'imiter. En 1980, J. Michael Davis publie ses observations[15] sur les nuées de bécasseaux variables. Il filme les animaux et décompose le mouvement pour en déduire une *synchronisation auto-générée*. En 1984, Wayne Potts publie dans la revue *Nature*[16] des calculs sur l'atterrissage des nuées d'oiseaux de la même espèce. Le ballet aérien se présente comme une onde qui se propage d'un individu à l'autre en 15 millisecondes. Cette vitesse est problématique. La capacité des bécasseaux à répondre de manière réflexe à une stimulation, un flash lumineux en l'occurrence, est de 38 millisecondes. Nous sommes donc face à un phénomène qui fait appel à autre chose que les cinq sens, à un phénomène *extra-sensoriel*, une capacité à capter l'ombre du futur.

Potts pose l'hypothèse d'une « onde de manœuvre », qui passe d'un individu à l'autre. Cette onde est liée à un instinct qu'il nomme « l'hypothèse Chorus Line », du nom d'une comédie musicale dans laquelle la synchronisation du mouvement des danseurs est extraordinaire. Dans le ballet, la vitesse de propagation du mouvement (108 millisecondes) est supérieure à la vitesse d'une réaction visuelle normale (194 millisecondes). De plus, comme pour les oiseaux, le mouvement initial peut venir de l'arrière, hors du champ visuel.

D'autres observations, faites sur les bancs de poissons, aboutissent au même résultat, c'est-à-dire à l'impossibilité d'individualiser le comportement des membres du groupe. L'individu est composé de millions de cellules synchronisées. La nuée d'oiseaux, le banc de poissons sont à leur tour composé d'individus synchronisés. Il faudrait être complètement borné pour affirmer péremptoirement que, pour les communautés humaines, tout phénomène de synchronisation est rigoureusement impossible.

## AIMER SON PAYS

*« Objets inanimés, avez-vous donc une âme, qui s'attache à notre âme, et la force d'aimer ? »* Ainsi s'interrogeait Alphonse de Lamartine. Les poètes peuvent imaginer que les objets inanimés possèdent une âme, ou pour le moins une capacité de lien avec des êtres vivants... Seulement des poètes ?...

Nous avons tous vu des petits enfants chérir leur ours en peluche ou leur poupée. Nous connaissons tous des adultes qui aiment leur voiture, leur maison, ou un objet qui leur rappelle de bons souvenirs. Mais l'idée de s'accorder est alors inappropriée. S'accorder suppose une réciprocité, fût-elle asymétrique. La matière obéit à des lois physiques et non pas à une volonté extérieure. Du moins est-ce ainsi que la science contemporaine nous présente les choses.

Toute la science ? Non, pas toute...

Maurice Halbwachs, dans son ouvrage « *Les cadres sociaux de la mémoire* » paru en 1925, effleure le sujet sans s'y arrêter. « *Les hommes* ***et les objets*** *que nous avons vus le plus récemment, ceux qui nous entourent (...), forment avec nous une société au moins temporaire.* ***Ils agissent ou peuvent agir sur nous et nous sur eux*** »[17].

En 1927, Joseph Banks Rhine (1895-1980), professeur à l'université de Durham en Caroline du Nord (USA), décide d'utiliser des méthodes statistiques pour étudier les phénomènes paranormaux. Il veut tester la capacité de certains joueurs à biaiser le hasard dans un lancer de dés. Le test a culminé à plus de 600 000 lancers ! Le désir du joueur a dévié le résultat attendu, avec une probabilité assez forte. Le test suscita l'intérêt de la communauté scientifique et Rhine fut rejoint par le physicien Helmut Schmidt[18]. Celui-ci fabriqua un générateur aléatoire de nombres. La machine était très élaborée pour un résultat simplissime. Elle s'approchait du pur hasard pour générer, soit le nombre 1, soit le nombre 2. En dehors de la présence d'un observateur humain « désirant », l'appareil enregistrait un nombre à peu près égal de « 1 » et de « 2 ». Entre 1967 et 1977, Schmidt utilisa son générateur pour tester l'influence de l'homme sur le compteur. Les résultats furent supérieurs à la simple attente du hasard ; leur probabilité n'était que de 1 sur 10 000. Cela signifie que la probabilité que l'homme ait influencé la machine est extrêmement forte.

Ces expériences rejoignent celles de Rémy Chauvin[19], qui a expérimenté l'influence mentale de l'homme sur la désintégration radioactive de l'uranium.

À Nantes, pour sa thèse de doctorat (année 1985-1986), René Peoc'h[20] réalise des expérimentations qui viennent s'ajouter aux observations des pionniers de la psychophysique. Il utilise le tychoscope, un petit robot sur roulettes dont les trajets sont aléatoires. Il constate que la machine, qui peut rouler n'importe où dans l'espace qui lui est réservé, s'approche plus souvent que les lois du hasard ne l'ont prévu de celui qui cherche à l'attirer mentalement. L'expérience est réalisée avec plusieurs personnes, selon un protocole très strict.

René Peoc'h va plus loin dans son expérience de psychokinèse. Il prend comme expérimentateur des poussins, auxquels il a fixé une *empreinte* (Nous reverrons ce phénomène au chapitre 7). Le tychoscope est le premier objet animé qu'ils voient quand ils sortent de l'œuf ; les poussins considèrent alors le robot comme leur mère, ou du moins se comportent comme tel avec lui. Là encore, le petit robot est dévié d'un trajet aléatoire lorsque la cage des poussins est placée dans un angle de son parcours. Il est venu 2,5 fois plus souvent dans la moitié la plus proche des poussins. Lorsque le tychoscope est isolé, ou lorsque des poussins non conditionnés sont placés dans la cage près du petit robot, ses parcours sont aléatoires. Il est alors présent aussi souvent dans une des moitiés de son parcours que dans l'autre.

Les expériences de psychokinèse que nous venons de passer en revue impliquent une influence du désir de l'être vivant sur la matière inerte. Cela signifie que l'environnement, qu'il soit vivant ou inanimé, qu'il soit naturel ou artificiel, ne peut être complètement séparé du sujet désirant. Cette conclusion rejoint la réfutation qu'a élaborée Erwin Schrödinger de la discrimination entre le sujet et l'objet. Le physicien quantique, inventeur du concept de *fonction d'onde*, poursuit : *« Ce sont les mêmes éléments qui composent l'esprit et le monde. (...) Le sujet et l'objet ne font qu'un. On ne peut pas dire que la barrière entre eux a été brisée par suite d'une pratique récente dans les sciences physiques, puisque cette barrière n'existe pas »*[21]

**Aimer la Bretagne a des conséquences que l'on ne soupçonne pas.**

## PASSER OUTRE LES PRÉJUGÉS

Les 3P de la modernité, pensée, progrès, profit, avaient suscité un formidable mouvement historique en Europe à partir de la Renaissance. Les sciences, sciences sociales, sciences physiques, biologie, ont transgressé les vérités éternelles des dogmes religieux. Elles ont rebondi de découvertes en découvertes. À partir du XIXe siècle, les sciences ont cru, à leur tour, avoir révélé des vérités immuables. Bien des savants nous ont dit que les grands principes avaient été découverts et qu'il ne restait plus à leurs descendants qu'un travail d'ajustement. Les dernières questions en suspens seraient résolues de la même façon que les précédentes. De la conscience humaine au plan de vol des oiseaux migrateurs, tout était forcément inscrit dans les atomes des gènes et du systèmes nerveux. Les propriétés de la matière expliquaient tout.

Ivres d'un immense prestige, les scientifiques se sont souvent satisfaits d'un matérialisme dogmatique. Les dépositaires de la science ont géré le patrimoine du savoir moderne comme de bons rentiers. Toutefois, gérer un patrimoine n'est pas du goût des plus vigoureux. Des francs-tireurs imaginatifs ont transgressé les limites intellectuelles qui leur étaient imposées.

Les premiers sans doute furent des physiciens. Nous venons de croiser Erwin Schrödinger et sa réfutation de l'objectivation. Son domaine d'étude y est pour quelque chose. Nous n'allons pas répéter ici les fondamentaux de la mécanique quantique. Ils sont souvent utilisés pour expliquer l'inexpliqué aux cadres supérieurs, pour faire exister l'inexistant aux crédules, ou pour donner aux imbéciles un sens à ce qui est insensé. Contentons-nous de quelques concepts disruptifs. Nous venons de voir le premier d'entre eux. C'est l'impossibilité d'isoler l'objet observé de l'appareil de mesure ou de l'observateur. L'interférence entre la fonction d'onde de la particule observée et la fonction d'onde de l'appareil de mesure provoque un brouillage, voire un effondrement, et non une superposition. Le principe d'objectivation est démenti.

Le second concept qui nous intéresse, dans notre étude des cohésions et des solidarités, est celui de l'intrication quantique. Deux particules distantes l'une de l'autre peuvent avoir des comportements solidaires ou plutôt, pour rester dans le vocabulaire des physiciens quantiques, une fonction d'onde unique. Les expériences d'Alain Aspect[22] montrent une identité de comportement, indépendante de la localisation, entre deux particules-sœurs.

D'autres scientifiques d'avant-garde ne se contentent pas d'un travail d'ajustement. Ce sont des astrophysiciens qui s'étonnent de l'étrange position de la terre dans la galaxie. Ce sont des chimistes et des climatologues qui s'émerveillent de la composition de l'atmosphère ; ils ont vérifié qu'une infime variation initiale aurait rendu la vie impossible. Parmi eux figurent aussi des biologistes qui ont calculé l'extrême improbabilité de la forme des protéines indispensables à la vie. Ce sont aussi ceux qui ont donné de la crédibilité au *principe anthropique fort*. Ces francs-tireurs ne sont pas des illuminés. Parmi eux, citons Stephen Hawking, Jean Staune, Trinh Xuan Thuan, Freeman Dyson.

Tout au long de ce livre, nous croiserons des voix d'outre-science, des explorateurs de l'épigénétique, des experts de l'interculturel ou des historiens polymathes.

## SE METTRE EN MARCHE

Pour quiconque appartient à une communauté pérenne, le sentiment d'appartenance et la cohésion de groupe peut donner le vertige. Le cas de la Bretagne est particulièrement illustratif. Au début du XXe siècle, l'appartenance bretonne était, sauf pour quelques intellectuels, une tare. Puis, entre les deux guerres et jusqu'en 1945, le mouvement *Breiz Atao* en a fait un enjeu de revendication politique. Même si ce mouvement fut minoritaire, il suscita un effarement. On s'interroge encore aujourd'hui sur les causes qui ont permis l'émergence d'une telle diablerie. Après la guerre et surtout à partir des années 60, l'appartenance bretonne a de nouveau muté. Elle s'est intégrée dans la vague *folk,* tout en conservant son visage revendicatif. De *scandale*, elle est devenue *problème*.

Soumises au choc de la mondialisation, à la fin du XXe siècle, les appartenances ont de nouveau muté. Certaines d'entre elles se sont crispées. D'autres ont surfé sur les nouvelles technologies. La communauté bretonne, en s'acculturant au monde, s'est ouverte, tout en cherchant, elle aussi, ses raisons d'exister. Elle est devenue festive chez les uns, érudite chez les autres. Les revendications ne sont plus reçues de la même façon. Le séparatisme était un crime ; il est devenu une provocation, une poésie, une alternative à l'effondrement. Sur les voitures, l'autocollant « BZH » représentait, quarante ans auparavant, une conception sérieuse et politique de la Bretagne. Il a été remplacé par la petite bigoudène hilare de la marque commerciale *À l'aise Breizh*, qui représente une conception frivole et apolitique, mais accessible à tous.

Remarquons que cette approche souriante de l'appartenance est revendiquée par un nombre impressionnant de Bretons qui en font un marqueur communautaire fort. Ce nouveau marqueur correspond à un changement profond. Le miroir de la culture française, le seul où la culture bretonne pouvait se contempler jusqu'à présent, s'est terni.

Nous allons ici donner consistance à ce *quelque chose* auquel se réfère l'identité bretonne, sans que l'on puisse parler de « causes premières ». Une appartenance n'est pas facile à représenter. Elle est faite, nous allons le voir, de diverses forces. Certaines d'entre elles sont explicables, d'autres moins. L'appartenance est faite aussi d'impressions, d'intuitions, de sensations. Ce sont là des réalités humaines importantes, même lorsque ces réalités ne peuvent s'exprimer sans larmes aux yeux.

Pour représenter une réalité, il y a un prix à payer. Il faut la réduire par deux procédés : l'abstraction et la simplification. Un livre, fût-il composé de milliers de pages, est forcément une simplification de la réalité. La simplification est inévitable.

Pour limiter l'abstraction identitaire, nous nous en tiendrons à notre cas concret : la communauté bretonne. C'est là, de plus, un modèle expérimental. Il pourrait être utile pour les Bretons, mais aussi pour ceux qui étudient d'autres appartenances et d'autres cohésions communautaires.

Nous allons ici analyser les forces d'attraction, visibles et invisibles, représentées ou seulement pressenties, liées à l'entité Bretagne. Comment aborder ce mystère ? Nous commencerons sans en avoir l'air, à la manière d'un touriste qui découvre des paysages, des individus, des monuments. Nous nous demanderons **en quoi la Bretagne est *intéressante***, ne fût-ce seulement que pour distraire des invités. Puis nous approfondirons la réflexion en nous penchant sur une culture, une histoire, une façon et une volonté de vivre.

*Deuxième chapitre*

# EN QUÊTE DE PITTORESQUE

*Ce chapitre nous fait aborder la question de l'appartenance bretonne et de la cohésion de groupe par l'extérieur, c'est-à-dire par leurs manifestations les plus visibles. Nous allons nous mettre dans la peau d'un touriste qui découvre la Bretagne.*

## LA BRETAGNE EXISTE-T-ELLE ?

Voilà une bien curieuse façon de commencer ce chapitre, me direz-vous. La question sonne comme un blasphème ; ou alors comme une provocation. Devrais-je me défendre ? C'est en effet un blasphème et une provocation, dans la mesure la Bretagne est une vérité révélée et immuable. Elle est une évidence. La Bretagne ne peut qu'exister. La preuve en est que chacun a son idée sur la Bretagne. Je pense, donc j'existe ; Tout le monde peut penser la Bretagne, donc elle existe. Chacun se fait fort de la retrouver sur une carte de géographie ou de décrire le Breton typique. Pas question de confondre un tel individu avec le Méridional ou l'Alsacien. Les uns vous parleront de gastronomie bretonne, d'autres de musique. La Bretagne se décline sur le mode sociologique, géographique, historique, politique, ethnologique, géologique, climatologique. L'identité bretonne est une réalité au-dessus de tout soupçon. Qu'on la glorifie ou qu'on la méprise, elle fait partie d'un puzzle dont toutes les pièces, petites ou grandes, sont indispensables au jeu. Même ceux qui disent : « *Les Bretons sont des Français comme les autres* » trahissent ainsi leur croyance en une existence, tout en affirmant que celle-ci ne compte pas.

Pourtant, malgré tous ces cris concordants, il faut se demander si la Bretagne ne serait pas une illusion. Les révélations la concernant ont été si nombreuses, si contradictoires et si éphémères, que l'objet de tous ces remous et de toutes ces visions pourrait bien n'être qu'un ectoplasme, sans forme bien définie et sans consistance. Dans les livres de géographie, la Bretagne s'étend parfois jusqu'à Ancenis ou Machecoul, et parfois, s'arrête à Redon ou à la Roche-Bernard. Les experts culturels vous parleront de la *vraie Bretagne*, ce qu'il laisse à supposer qu'il existe des trompe-l'œil. Le Breton se définit, tantôt comme quelqu'un de têtu, tantôt comme quelqu'un de soumis ; tantôt comme un sournois, tantôt comme un naïf. Le Breton typique sera blond ou peut-être brun, trapu ou peut-être élancé. Sa tête sera carrée, peut-être bien ronde ou même ovale. Une des grandes qualités de la Bretagne, c'est qu'elle échappe à la raison et à la logique, ce qui laisse soupçonner qu'elle échappe à la réalité. Comment, dans de telles conditions, peut-on être Breton sans être soi-même un fantôme ?

Nous ne saurons ce que signifie « être Breton » que lorsque nous saurons ce qu'est vraiment la Bretagne. Il nous faut à la fois nous dégager du rêve et abandonner les certitudes. Il nous faut sortir la Bretagne de son paradis ou de son purgatoire afin de la contempler sans complaisance. On nous dit Bretons ? Fort bien ; mais un mot ne suffit pas. Il nous faut savoir ce qu'il recouvre, si nous voulons nous trouver nous-mêmes.

La question de l'existence de la Bretagne est un blasphème et une provocation dans la mesure où l'identité bretonne est un *a priori*, un article de foi. En revanche, dans la mesure où cette identité est une réalité à découvrir, la question « La Bretagne existe-t-elle ? » devient le premier pas d'une démarche nécessaire.

Il n'y a pas de fumée sans feu, dit-on. Eh bien, observons donc la fumée, puisque le feu ne nous est pas encore visible. Observons comment la Bretagne se révèle. Si la Bretagne se manifeste de façon particulière et indépendante, nous pourrons soupçonner qu'elle possède une existence particulière et indépendante. Et alors nous cheminerons vers cette existence.

# ENTRONS DANS LA CARAVANE

Allez, tous dans les camping-cars ! Nous allons nous joindre à la caravane des touristes. Ils viennent ici pour se changer les idées, pour changer de décor, pour se *« dépayser »*. Suivons-les. Ils nous montreront ce qui les accroche, ce qui les attire, ce qui bouscule agréablement leur paysage habituel. Ils nous montreront ce qu'il y a ici de différent et de particulier. Écoutons ce qui les fait rire et ce qui les fait rêver ; regardons ce qu'ils photographient ; goûtons aux plats qu'ils jugent « typiques ». Ils sont de bons guides pour nous faire découvrir ce qu'ils n'ont pas chez eux, et qu'ils trouvent ici.

Les touristes nous mènent d'abord sur la côte. Avec eux, nous nous baignons et nous jouons sur les plages, nous nous promenons le long des falaises, nous respirons le vent salé. Nous traversons aussi la Bretagne intérieure. Nous nous arrêtons pour pique-niquer près d'un lac, nous marchons dans les landes des Monts d'Arrée ou sur les sentiers de Brocéliande. S'il fait beau, nos compagnons auront le sourire aux lèvres. Ils seront dépités s'il pleut pendant trois semaines. Ils nous diront *« c'est ça, la Bretagne ! »* avec tant d'assurance que nous ne pourrons rien répliquer.

Mais devrons-nous seulement contempler la mer et ressentir la pluie ? Devrons-nous nous contenter d'un climat et d'un paysage ? Devrons-nous nous plonger dans un vieil atlas ou un site internet, et fantasmer sur une position géographique ?

En bons touristes, nous nous préparons à émettre des objections polies aux belles hôtesses des offices de tourisme. Mais déjà fusent les solutions. Si le climat et les paysages ne vous suffisent pas, alors courez assister aux fêtes folkloriques, voir les chapeaux ronds et les coiffes de dentelle ! Allez goûter la cuisine bretonne, visiter les églises et les chapelles ! Vous cherchez du typique, de l'authentique ? Vous en aurez ! Mille idées jaillissent lorsque vous voulez vous coltiner la Bretagne, la vraie. Ce que vous cherchiez en amateur, l'industrie touristique vous l'offre sur un plateau.

Allons, ne faites donc pas la fine bouche ! Certains de ces fruits dont les touristes se délectent vous semblent douteux... Eh bien, goûtons-les quand même ! Tout nous y invite. À l'arrivée, nous verrons si tout cela n'est qu'apparence et illusion.

## ARCHITECTURE ET SCULPTURE

Feuilletons ensemble les guides touristiques. Ils nous vantent les merveilles architecturales bretonnes : enclos paroissiaux, clochers à jour, manoirs enfouis dans la verdure. Même l'humble maison de granit, avec son toit d'ardoise, nous est présentée comme une construction digne d'intérêt. Il existe en effet une maison bretonne typique actuelle, que l'on nomme parfois le *néobreton* ou le *traditionnel rénové*. Les murs - ou au moins l'entourage des ouvertures - sont de pierre, pas forcément de granit. Les toits, assez fortement inclinés en deux pans, sont recouverts d'ardoise. Les cheminées sont placées aux pignons, dans l'alignement du faîtage. Cette architecture populaire, bien que possédant des traits particuliers, est surtout fonctionnelle et assez peu expressive. Elle nous renseigne sur les matériaux disponibles et sur le climat, plus que sur les hommes qui y vivent.

Alors qu'il existe des maisons bretonnes typiques, les manoirs et les châteaux bretons ne présentent aucune originalité architecturale. Selon la période de construction, ils adoptent le style en vogue quelque part en Europe de l'Ouest. Ils sont fortifiés au Moyen-Âge. Au XVIe siècle, le duc de Bretagne fait venir des architectes italiens. Ils apportent avec eux un nouveau style, le style Renaissance. L'innovation prend forme à l'intérieur du château des ducs de Bretagne à Nantes, ainsi qu'à Clisson.

L'art religieux retient notre attention. Les calvaires, les clochers à jour, les enclos paroissiaux forment des unités que l'on s'accorde à qualifier de typiquement bretonnes. L'architecture religieuse d'ici ne se définit pas par une œuvre-type, mais par un ensemble-type, noyé dans la nature environnante. Les lignes architecturales s'intègrent dans celles qui sont dessinées par les troncs des grands arbres, les courbes des collines, les ondulations des dunes et des côtes. La nature est foisonnante en Bretagne ; nos monuments religieux aussi.

L'enclos s'ouvre par un porche monumental. Il englobe une chapelle ou une église gothique, un calvaire, éventuellement un ossuaire ou une fontaine. Le style gothique, faut-il le rappeler, n'a pas une origine bretonne. Il apparaît chez nous dans la seconde moitié du XIIe siècle et triomphe au XIIIe. Les œuvres de cette période expriment une forte influence anglo-normande, ce qui correspond aux conditions politiques de l'époque dans la péninsule. Le style gothique se prolonge au XVe siècle. Il subit les influences artistiques de la cour des ducs. Il s'attarde en Bretagne alors que ses voisins construisent déjà dans le style Renaissance. Phénomène plus surprenant, on continue à bâtir des monuments gothiques en Bretagne jusqu'au XIXe siècle, alors que ce style a été abandonné partout ailleurs.

La particularité du gothique breton est qu'il s'intègre dans le cadre des villages, des villes ou des trous de verdure, desquels il émerge sans choquer l'œil. L'art n'est pas employé ici pour bâtir une exception au milieu de la banalité. L'artiste ne construit pas un chef d'œuvre, mais la demeure d'un dieu familier. Celle-ci est généralement entourée du cimetière. Les morts, eux aussi, sont familiers. Les nouveaux styles européens, importés en Bretagne, ont parfois transformé les éléments extérieurs, comme les porches ou les clochers ; l'atmosphère intérieure reste néanmoins la même. L'architecture religieuse bretonne nous fait ressentir que les élans populaires vers les choses spirituelles ont peu varié dans la péninsule entre le XVe et le XXIe siècles. L'inspiration architecturale n'a pas cherché des voies de renouvellement.

Le maintien du style gothique va de pair avec un art de la sculpture. Dans les pierres des calvaires, dans le bois des statues, des retables ou des poutres ouvragées, se matérialise une inspiration à la fois homogène et originale. Son premier caractère est la rusticité. L'artiste ne cherche pas les lignes pures ou les proportions étudiées. Il ne cherche pas à éveiller une émotion esthétique individuelle, mais une ferveur communautaire, une union sacrée, ou tout au moins une complicité. Pauvre et anonyme, il donne à ses personnages une magnificence, une truculence ou une tendresse qu'il puise au fond de son imagination. Il n'hésite pas à peindre ses œuvres – et celles des autres -. Il provoque des effets de couleur qui vont du sublime à la vulgarité la plus épaisse.

La sculpture bretonne est un art populaire. Du peuple, elle possède la violence, la verve, parfois la grossièreté. Du peuple, elle possède aussi la passion, la générosité, le mouvement. Elle est d'ailleurs beaucoup plus d'un peuple que d'une époque. Jusqu'au XIXe siècle, la sculpture bretonne ne connaît pas de changement profond. Cette homogénéité dans l'espace et dans le temps est tout à fait remarquable, d'autant plus qu'elle constitue une expression naturelle et spontanée. Les artistes ne sont inféodés à aucune école.

L'art populaire s'épanouit sur les poutres sablières des églises et des chapelles. Les autorités religieuses et civiles permettaient aux artistes locaux de s'y exprimer. Ils y figurent des scènes de leur vie, mais aussi des scènes mythologiques, parfois très éloignées de la vulgate chrétienne. Les combats de dragons voisinent avec la représentation des sybilles. Il s'y mélange des épisodes de la vie rurale et des représentations de vieilles légendes. On y rencontre de curieux motifs dont la signification a été perdue, comme le sanglier qui joue de la cornemuse. Certaines scènes sont même anticléricales, tel le prêtre dévoré par un monstre dans l'église de Saint Aignan, ou le cochon prêchant du haut de sa chaire à Tréflévénez.

La Renaissance apporte en Bretagne de nouvelles techniques et de nouveaux motifs ornementaux. Mais l'humanisme et la sensualité de cette époque restent étrangers aux œuvres sculpturales et architecturales bretonnes. La pureté des courbes se noie dans la profusion. Est-ce par pudeur ou par maladresse ? Il est difficile de trancher. L'œuvre reste médiévale.

L'inspiration traditionnelle disparait des églises au XIXe siècle, lorsque le *bon goût* devient primordial. Le jugement du *connaisseur* remplace l'assentiment local. L'art populaire n'a plus sa place et se réfugie dans les lieux privés.

L'architecture et la sculpture bretonnes existent bien. Elles ne se caractérisent pas par une indépendance marquée par rapport aux grands courants artistiques européens. Elles ne se distinguent pas par les matériaux utilisés. Il n'existe pas une école bretonne de sculpture ou d'architecture. Il n'existe pas de système de normes, pas de techniques spéciales. L'originalité se révèle dans les proportions des personnages, qui ne correspondent guère aux canons grecs ou latins. Elle se révèle aussi par les scènes où personnages réels et animaux légendaires se mêlent, émergeant d'une mémoire collective, où l'imagination a plus d'importance que la traque d'une quelconque réalité.

Les couleurs des statues répondent à des critères fixes, mais inexplicables : les dragons sont toujours verts, les mitres des évêques toujours dorées, les chevaux sont le plus souvent pommelés. Les thèmes peuvent être ceux de la Bible, mais aussi ceux d'une hagiographie unique au monde : nulle part ailleurs on ne connaît Saint Hervé et son loup, Saint Alar et ses chevaux, Saint Edern et son cerf, sans compter des milliers d'ermites, d'abbés, d'évêques et même de papes inconnus de Rome.

## CHAPEAUX ET COIFFES

*« Ils ont des chapeaux ronds*
*Vive la Bretagne*
*Ils ont des chapeaux ronds*
*Vive les Bretons »*

Ainsi chantent, à la fin des banquets, les convives les plus éméchés. La Bretagne est une pièce vestimentaire. Elle n'existerait pas sans ses chapeaux ronds, tout comme Paris ne peut exister sans sa Tour Eiffel. Le costume breton est un élément indispensable de l'imagerie populaire.

Il est reposant de juger un homme à ses vêtements. L'idée de costume rejoint l'idée d'uniforme, et donc d'ordre, de sécurité. D'autre part, le chatoiement des couleurs est un ravissement pour l'œil. Le spectateur s'échappe vers un monde naïf et heureux. C'est un univers hospitalier, qui permet aux femmes de vivre gaiement dans les fanfreluches. C'est un monde fraternel, qui permet aux hommes de porter des vêtements étincelants et des chapeaux étonnants. Tout cela défie l'anonymat, les murs blancs et la lumière électrique de notre quotidien.

Le costume traditionnel breton ne manque pas de brio. Pour les hommes, grands chapeaux à boucle d'argent, vestes chargées de boutons, braies bouffantes et sabots de bois. Pour les femmes, coiffes de dentelles, grands châles, corsages, tabliers et jupes abondamment brodées. Les yeux de nos amis touristes étincellent. Les défilés folkloriques sont un vrai plaisir. Les différents costumes composent une symphonie éblouissante de formes et de couleurs. Nous apprenons que le costume de Quimper est différent de celui de Carhaix ; qu'il existe en Bretagne des dizaines de modes locales appelées *« giziou »* ... Mais bientôt la fête se termine. Les Bretons costumés remontent dans les cars et rentrent chez eux. La féérie s'est évanouie. Ceux de mon âge se souviennent avoir vu, sur la place du village, quelques vieilles femmes en coiffe, toutes de noir vêtues. Si le costume breton a disparu, du moins a-t-il existé autrefois. Ce n'est donc pas une illusion totale.

Sommes-nous en train de chasser le dinosaure, ou sommes-nous dans une période intermédiaire entre deux traditions vestimentaires ? Après tout, si une mode traditionnelle a existé ici dans le passé, rien ne s'oppose à ce qu'il en naisse une nouvelle dans l'avenir. La Bretagne costumée a été une réalité. Elle est une nostalgie. Sera-t-elle une inspiration ?

Examinons les choses plus attentivement. Selon les ethnologues, le costume traditionnel breton tel que nous le connaissons aujourd'hui n'a pas une origine spécifiquement bretonne. En fait, les vêtements que portaient nos bourgeois et nos aristocrates dans le passé n'avaient rien d'original par rapport aux vêtements de leurs homologues français ou même européens. Quant à nos ancêtres paysans, leurs vêtements ne différaient guère, pendant l'ancien régime, de ceux des paysans poitevins ou normands. Peut-être apparaissaient-ils, au XVIIIe siècle, un peu démodés, tout en étant plus colorés. Les paysans bretons, et les paysannes, avaient en effet conservé des styles vestimentaires datant du XVIe et du XVIIe siècles. Partout ailleurs, ces modes avaient été abandonnés au profit des modes nouvelles.

Avant la Révolution française, la société était cloisonnée en classes bien séparées, représentées par trois ordres : la noblesse, le clergé et le tiers état. Le vêtement était réglementé par les *« lois somptuaires »*, qui interdisaient aux manants de se vêtir comme les nobles ou les clercs. Les paysans ne pouvaient pas porter des vêtements de velours, ni des chapeaux à bord ou à boucles. Ils devaient se contenter d'étoffes ordinaires, d'un bonnet, et de couleurs ternes. En Bretagne, les lois somptuaires françaises n'étaient, semble-t-il, pas systématiquement appliquées, mais la distance se marquait néanmoins par le vêtement.

Les lois somptuaires sont abolies lors de la Révolution Française. Le costume devient alors un nouvel art populaire. Les paysans et les paysannes ne se contentent plus du style vestimentaire ancien. Ils le développent et l'enrichissent prodigieusement. Le costume conserve d'anciennes couleurs, mais celle-ci deviennent éclatantes. Les motifs ornementaux s'épanouissent. Les coiffes et les vêtements des femmes se garnissent de dentelles. Les chapeaux des hommes atteignent des tailles extravagantes. Les caprices locaux du marché des étoffes, en croisant les vieilles solidarités claniques, finissent par créer des modes locales. Dans ses grandes lignes, le costume se rattache à une sorte de mouvement artistique populaire où chacun peut exprimer sa verve ou ses ambitions. Dans ses détails, il affiche l'origine géographique ou la situation sociale.

Le costume breton ne se caractérise ni par son origine particulière, ni par son style, ni par les matériaux qu'il utilise, mais par l'inspiration qui l'anime. Une inspiration qui reste présente actuellement chez quelques brodeuses, brodeurs et couturiers de talent. Dans notre recherche de l'identité bretonne, voilà une maigre récolte sur un terrain qui paraissait si luxuriant !

De notre escapade dans le domaine vestimentaire, nous pouvons toutefois faire quelques observations. La première, c'est l'unité d'inspiration dans un territoire qui n'a pas d'existence officielle. Ce mouvement artistique populaire, qui fleurit pendant le XIXe siècle et les premières décennies du XXe, n'entre pas dans un cadre administratif. Il s'inscrit dans la géographie de l'ancien duché de Bretagne, devenu province jusqu'en 1789. C'est d'ailleurs ce que tout le monde reconnaît implicitement en parlant de *« costume breton »,* alors que la Bretagne n'a plus aucune existence administrative.

La deuxième observation, c'est la plus grande vigueur d'inspiration, la plus grande audace et la plus grande verve, dans les zones les plus éloignées de la France. C'est même dans les Monts d'Arrée et les Montagnes Noires que les variantes sont les plus nombreuses. Il faut constater que lorsque la francisation progresse et s'installe, dans l'espace et le temps, l'exubérance artistique se tarit. D'ouest en est, les coiffes se rabougrissent, les ornements s'assagissent. Et, au fil des années, les couleurs autrefois vives s'estompent, les pièces du vêtement traditionnel disparaissent les unes après les autres pour ne laisser subsister que quelques coiffes et quelques châles ou jupes uniformément noires, qui disparaissent pendant la deuxième moitié du XXe siècle.

## DU COFFRE AU LIT-CLOS

Après les coiffes et les calvaires, la Bretagne typique est celle des lits-clos. Ce meuble provoque toujours l'étonnement et les commentaires. Voilà donc une attraction touristique de premier ordre !

Après avoir visité quelques intérieurs bretons, après avoir remarqué près du lit-clos une armoire en châtaignier ou un coffre en chêne, après avoir consulté quelques ouvrages sur le sujet, notre petite question habituelle vient nous tourmenter à nouveau. Qu'y a-t-il de « breton » là-dedans ? Quelle est l'originalité indiscutable, la saveur inimitable qui fait que le mobilier breton se distingue du mobilier normand, lorrain ou bourguignon ?

Penchons-nous d'abord sur les matériaux utilisés. Horreur ! Il n'existe dans le mobilier breton aucune homogénéité. Le chêne, le châtaignier et le buis sont les bois les plus utilisés à l'ouest, tandis que les meubles de l'est de la Bretagne sont généralement de merisier ou de noyer. Ceux-ci arborent des teintes nettement plus claires qu'à l'ouest.

Dans notre recherche d'un meuble représentatif, nous nous heurtons à la même diversité. Il faudrait choisir le lit-clos ou le coffre pour caractériser le mobilier de Basse-Bretagne, tout en se disant que ces meubles ne sont plus fonctionnels aujourd'hui. Pour la Haute-Bretagne, l'armoire conviendrait mieux. Quant aux formes, il serait difficile de percevoir une originalité profonde dans le mobilier breton. Il est généralement bien équilibré. Les lignes sont droites, sans grande fantaisie. Il est possible de faire sans témérité un parallèle entre la rigueur de ces lignes et l'austérité architecturale de la maison bretonne traditionnelle. Le granit ne permet guère d'audace, et la pénombre engendrée par les petites fenêtres ne permettrait pas, de toute façon, de mettre en valeur des meubles aux formes élancées.

Après tout, un meuble a d'abord un rôle utilitaire. Il ne faut peut-être pas rechercher dans le matériau ni dans les lignes une inspiration particulière, mais seulement la réponse à un besoin journalier. Seule exception, le lit-clos révélerait-il un caractère typiquement breton ? Je ne sais que répondre. Ce qui est sûr, c'est que le lit-clos est un meuble du passé, et qu'il ne constitue pas, à lui tout seul, le mobilier que l'on dit breton.

Reste l'ornementation. Sauf en Haute-Bretagne où l'influence des styles voisins est perceptible, l'ornementation est essentiellement non-figurative. Les motifs géométriques abondent, tels que chevrons, cercles concentriques, ou galettes. En plus de ces figures, s'entremêlent des symboles religieux, crucifix et ostensoirs, et des motifs gothiques comme les rosaces, les ogives ou les fleurons. Ils s'y mêlent aussi des motifs plus archaïques, que l'on nomme *« celtiques »* par commodité.

En remontant dans le temps, nous percevons mieux ce qu'est le mobilier breton, et surtout quelles en sont les particularités ornementales. Le lit-clos apparaît comme une originalité accidentelle au XVIIe siècle. Il connaît son expansion au XVIIIe et son heure de gloire au XIXe siècle, pour décliner et disparaître au XXe siècle.

Les fuseaux de buis tourné apparaissent au XIXe siècle sur les lits-clos. Ils constituent à la fois une ornementation et une zone ajourée qui permet le renouvellement de l'air dans l'alcôve. Le décor clouté, d'origine cornouaillaise, peut-être plus précisément bigoudène, fleurit sur les armoires au XIXe siècle. Il s'intègre dans le décor d'ensemble, qu'il envahit parfois un peu trop.

De notre voyage dans le temps, la constante qui s'impose est celle qui concerne l'ornementation. Les plus anciens coffres bretons sont sobrement ornés de symboles religieux, sur lesquels se superposent des tracés géométriques simples, triangles et cercles. Au fil des siècles apparaissent des motifs gothiques, rosaces ou fleurons, qui s'intègrent au dessin d'ensemble.

La Renaissance qui, partout ailleurs, a véhiculé le goût de la figuration de la nature et du corps humain, n'apporte en Bretagne que de nouveaux motifs non figuratifs. Ces motifs, tout à fait secondaires dans l'art italien et dans la Renaissance française, prennent dans l'ornementation bretonne une place inattendue. Les entrelacs, pratiquement oubliés – sauf des artistes irlandais - depuis l'ancienne époque des Celtes, sont réutilisés au XVe siècle par les Italiens et par les artistes de la Renaissance de façon marginale. Ils connaissent en Bretagne une vogue extraordinaire qui se rattache à une sensibilité esthétique particulière plutôt qu'au souvenir d'une ancienne tradition.

Les entrelacs bretons diffèrent des entrelacs celtiques anciens. Mais cette concordance de goût pour un motif ornemental, malgré un intervalle de plus de dix siècles, est suffisamment surprenante pour être notée. Les scènes figuratives, en revanche, n'apparaissent que très tard. Elles restent secondaires et de facture médiocre, sauf dans le mobilier des châteaux. En général, on ne peut qualifier celui-ci de *« breton »*.

En résumé, le mobilier traditionnel breton est massif, aux formes régulières. Son ornementation est essentiellement non-figurative. Elle correspond à une sensibilité particulière, différente de celle qui se manifeste dans les zones voisines.

Comme dans le cas de l'architecture, il semble que les modes étrangères n'aient pas été rejetées, mais interprétées de façon très personnelle par les artisans bretons. C'est la permanence dans les choix esthétiques, quels que soient les matériaux ou les styles adoptés, qui permet de parler d'architecture et de mobilier bretons. Selon les points de vue, cette stabilité esthétique sera appelée qualité ou infirmité, approfondissement ou archaïsme, constance ou sclérose. Peu importe.

Aujourd'hui, les Bretons conservent leur mobilier breton traditionnel, mais il n'est pas sûr qu'il se transmettra aux nouvelles générations. Les meubles traditionnels s'exprimaient discrètement et leur ornementation restait mystérieuse. Au XXe siècle, de nouveaux meubles « bretons » leur ont succédés, surchargés de scènes de genre où voisinent un indigène surmonté d'un chapeau rond et une femme en coiffe. Aujourd'hui leur succèdent des meubles plus sobres, qui n'expriment plus une identité, mais une fonctionnalité. Nul ne sait de quoi le mobilier de demain sera fait.

## LES FÊTES FOLKLORIQUES

Les guides touristiques ne nous donnent pas seulement des indications sur les lieux à visiter. Ils nous proposent aussi des dates : celles des fêtes *« bretonnes »*, Festival Interceltique de Lorient, Fêtes de Cornouaille à Quimper, Fêtes des Filets Bleus à Concarneau et bien d'autres, moins connues.

Nous sommes en vacances, nous avons tout notre temps. Allons-y.

Nous y retrouvons les costumes bigarrés, les coiffes et les chapeaux ronds. Nous y entendons de la musique et nous voyons défiler des sarabandes de danseurs dont les prouesses nous réjouissent. C'est une fête chaude, colorée, envoûtante. Les artistes, on le sent bien, donnent le meilleur d'eux-mêmes, au point de prolonger leurs prestations dans les rues, dans les bars et les lieux publics, après la clôture officielle du spectacle. Costumes, danses, musique ; la fête folklorique est une occasion rêvée pour savoir ce qu'est vraiment la Bretagne. Quel spectacle ! ...

Justement, l'erreur du touriste serait de prendre le spectacle qui se donne trop facilement à lui pour la réalité. Ce qui lui est offert, ce n'est pas la Bretagne, mais une image de la Bretagne. Avant de faire de la musique ou de la danse, les participants aux fêtes folkloriques font d'abord du spectacle.

Et d'ailleurs, qui sont-ils, ces participants ?

La prestation musicale est généralement assurée par les *bagadoù*. Un bagad est un ensemble instrumental : cornemuses, bombardes, tambours, percussions diverses. Si la grande cornemuse est d'origine écossaise, la bombarde est un instrument typiquement breton. La mélodie est traditionnelle, mais le plus souvent arrangée selon la fantaisie ou l'imagination des musiciens.

Et l'ensemble lui-même ? Le premier d'entre eux a été créé en 1948, à Carhaix. Voilà une tradition bien jeune ! L'inspiration bretonne en est discutable ; le bagad breton ressemble au pipe band écossais comme un fils à son père.

La partie chorégraphique de la fête folklorique est assurée par les Cercles Celtiques. Les premiers se sont créés entre les deux guerres mondiales. À cette époque, ils visaient à rassembler des bretons émigrés à Paris, ou des bretonnants isolés à Nantes ou à Rennes. Ce n'est qu'après la guerre de 39-45 que les Cercles connaissent leur essor en présentant des spectacles. Lieux de rencontre, ils deviennent aussi des assemblées d'étude, puis de réécriture de la tradition bretonne.

Et les fêtes folkloriques elle mêmes ? Elles sont de création récente. La plupart sont nées après la deuxième guerre mondiale. Chaque bagad, chaque cercle celtique y présente son interprétation de thèmes traditionnels. Des arbitres les classent, non pas selon leur capacité à répéter la même chose, mais selon la qualité de leurs innovations. Celui qui recherche l'authenticité doit-il, pour autant, hurler à l'imposture ? Certainement pas. Je ne dis pas que le spectacle soit toujours bon. Mais il est indéniable que Cercles et Bagadoù travaillent avec acharnement à innover dans leurs effets ou leurs jeux de scène. Cette conscience professionnelle est toute à leur honneur. J'ai toujours ressenti une grande émotion en entendant un bon bagad jouer la *« Marche de Cadoudal »*. J'ai souvent été émerveillé par le Cercle Celtique de Pontivy interprétant une *gavotte Pourlet*. Cette prestation sur les tréteaux n'est pas issue de la tradition. L'épreuve du temps nous montrera quels sont les nouveaux pas de danse, les ensembles musicaux ou les nouveaux airs qui méritent d'être retenus.

## RÉFLEXIONS SUR LES ARTS POPULAIRES BRETONS

Notre circuit touristique nous a mené dans un tourbillon de costumes, de vieilles chapelles, de sculptures bizarres et multicolores. Arrêtons-nous un instant. Les contours de la Bretagne commencent à se dessiner et notre escapade touristique n'aura pas été inutile. En jetant un regard derrière les décors, nous avons pu observer bien des choses intéressantes.

Les créations bretonnes, costumes, statues, chapelles, meubles, sont généralement des œuvres collectives ou anonymes. Ce qu'il y a de remarquable, c'est que le label *« art populaire »* est insuffisant pour les définir. Il est nécessaire de préciser *« breton »*, non pour décrire une origine géographique, mais un air de famille. Ces productions sont l'expression d'une inspiration qui souffle sur un territoire délimité par l'Histoire.

Les arts populaires ont souvent été méprisés face aux arts plus savants. L'ornementation celtique, faite d'une harmonie d'entrelacs et de dessins non figuratifs, révèle un grand style. Il est flatteur de se sentir le descendant ou l'héritier de ceux qui inventèrent et portèrent ce style à une très haute perfection. Mais les œuvres bretonnes, en ce domaine, ne peuvent rivaliser avec les chefs d'œuvres irlandais. Cela dit, ne nous attardons pas dans des débats académiques. Nous ne cherchons pas à rencontrer le génie ; seulement à connaître la personnalité de la Bretagne. À ce titre, nous ne nous intéressons pas aux œuvres exceptionnelles. Une personnalité se perçoit mieux dans ses habitudes que dans ses coups d'éclats.

Il n'est pas possible de reconnaître dans l'art populaire breton un génie complètement original. Il s'est approprié des styles et des techniques qu'il n'a pas inventés. Mais il les a utilisés de façon si particulière, et de manière si homogène pendant plusieurs siècles, sur une aire géographique constante, qu'il est possible de conclure à l'existence d'une personnalité collective sur cette aire géographique.

L'art populaire breton est d'autant plus intéressant qu'il ne vise pas à l'originalité à tout prix. Il ne cherche pas la gloire ou la distinction, mais l'assentiment de l'entourage, ou tout au moins son acceptation. Il ne cherche pas à être exceptionnel, et c'est d'ailleurs pourquoi il atteint rarement au génie. Et pourtant, sans avoir cherché à l'être, il est différent. Il révèle une personnalité. Celle-ci s'affirme un peu malgré elle. L'attitude de réserve est souvent révélatrice de personnalités singulièrement fortes.

# SOUS-HYPOTHÈSE N°1

Notre escapade touristique nous a mis en contact avec des créations architecturales, artistiques, festives. Il nous est alors apparu que des milliers de créateurs, sur un même territoire et au fil des générations, ont puisé à une source d'inspiration commune. Les arts populaires bretons, qu'ils s'expriment par les modes vestimentaires, l'ornementation des meubles ou les figurations des poutres sablières, ont un air de famille.

Un exemple de continuité de l'inspiration est la *Vallée des Saints* à Carnoët. La Bretagne est l'endroit où le mégalithisme européen est sans doute né. Il s'y est épanoui il y a longtemps, à Carnac et ailleurs. Des scientifiques ont émis l'hypothèse que les cercles de pierre et les sites mégalithiques d'Europe proviendraient d'une unique civilisation de chasseurs-cueilleurs, née dans la péninsule bretonne il y a 7000 ans. Vers 4300 av JC, cette civilisation aurait propagé ses constructions mégalithiques sur l'arc atlantique par voie maritime, et ailleurs en Europe. La *Vallée des Saints*, avec ses statues de pierre, renouvelle la tradition mégalithique tout en la reliant à la tradition hagiographique, elle aussi très particulière à la Bretagne.

L'idée qu'un bon artiste est « inspiré » est communément admise. Mais qu'est-ce donc que ce phénomène ? Peut-on localiser les sources d'inspiration ? Rassemblons ici quelques éléments.

D'abord, constatons que la source d'inspiration est extérieure à l'inspiré. Les premières sources d'inspiration sont les personnes proches. Ce sont aussi les éléments avec qui nous sommes en contact par nos cinq sens : la vue, l'ouïe, l'odorat, le goût, le toucher. Ce peut être un paysage. Ce peut être respirer l'odeur d'une madeleine, revoir la maison de son enfance, écouter une musique envoûtante. Nous pouvons aussi avoir des contacts plus subtils avec l'extérieur : par nos émotions, nos pensées, nos valeurs. Le spectacle de la misère a inspiré des révoltes sociales. Les prophètes de la Bible revendiquent une *inspiration divine*.

L'inspiration est ressentie par ceux qui en bénéficient comme une révélation. Bien des artistes, mais aussi des découvreurs scientifiques, ont fait cette constatation d'une inspiration imprévue. L'exemple en est la découverte de la gravitation par Isaac Newton, alors qu'il dormait sous un pommier. Toutefois, cette survenue de l'inspiration n'est pas un pur hasard. La motivation et le travail sont des constantes chez les artistes, les prophètes, les scientifiques, les entrepreneurs inspirés. La motivation et le travail s'accompagnent de l'acceptation d'être guidé par quelque chose d'au-delà de soi-même.

Constatons que plusieurs individus peuvent puiser dans une même source d'inspiration. Il existe des lieux inspirants. Il existe aussi des moments favorables ; certaines nuits sont favorables à l'inspiration. La source commune d'inspiration est implicite dans la constitution de mouvements artistiques. Ces mouvements peuvent être d'une grande longévité, ce qui signifie que les sources d'inspiration peuvent être pérennes.

Les tenants d'une même culture ont une prédisposition à atteindre les mêmes sources d'inspiration. Les langues, les religions, les idéologies pointent le chemin vers des inspirations spécifiques. Toutefois, il ne faut y voir aucun déterminisme. Ceux qui sont ouverts aux aventures ont des facilités pour atteindre différentes sources d'inspiration. Le peintre Paul Gauguin, lors de son séjour à Pont Aven, a su capter, non seulement des scènes, mais une inspiration étonnamment bretonne. Gustave Flaubert et bien d'autres écrivains ont été inspirés par la Bretagne, ses paysages, son histoire, ses habitants, sans pour autant être bretons.

Il existe une source particulière d'inspiration, à la fois en relation avec les paysages de Bretagne et en communion fraternelle avec les Bretons. Cette source est nommée *Awen* en langue bretonne. L'Awen n'est pas une simple figure poétique. Elle est l'intuition d'un niveau d'imagination qui appartient au collectif.

Le folklore est une autre façon d'aborder la question de l'inspiration. Les folkloristes du XIXe et du XXe siècles, La Villemarqué, Luzel, Sébillot et bien d'autres, se donnaient pour tâche de recueillir les coutumes populaires. Ces coutumes étaient alors bien vivantes mais en position défensive, confrontées à une civilisation supérieure. La civilisation avancée, que nous nommons *modernité*, peut être qualifiée négativement de bureaucratique ou de technocratique. Elle peut aussi être qualifiée positivement de rationnelle et de technologiquement avancée. Au-delà des jugements de valeur, sa victoire écrasante a relégué le travail des folkloristes à un répertoire d'histoires bizarres, de textes poétiques, de comportements irrationnels et de vêtements incommodes. Toutefois, *« à quelque chose, malheur est bon »* dit le proverbe. En se marginalisant, le folklore s'est libéré du poids du passé. Les anciennes coutumes populaires, devenues pittoresques, ne peuvent plus être sacralisées. La créativité s'est emparée du folklore pour en faire un spectacle imaginatif. L'*Awen*, qui a imprégné les arts populaires du passé, impulse une énergie particulière aux musiciens, aux chorégraphes, aux couturiers, à tous les artistes impliqués dans les fêtes folkloriques actuelles.

Formulons la sous-hypothèse n°1 sous forme de deux propositions.

**Proposition 1-1 : L'Awen est une source pérenne d'inspiration, en relation avec les paysages de Bretagne et en communion fraternelle avec les Bretons.**

**Proposition 1-2 : L'Awen est accessible aux Bretons et à ceux qui souhaitent sincèrement y accéder.**

*Troisième chapitre*

# EN QUÊTE D'AUTHENTICITÉ

*Après nous être mis dans la peau du touriste, nous allons nous mettre dans la peau de l'observateur intéressé. Dans ce chapitre, nous allons découvrir en Bretagne d'autres particularités.*

## ÉLOIGNONS-NOUS DE LA CARAVANE

Les circuits touristiques nous ont révélé qu'il a existé ici un art populaire profondément original. La Bretagne ne serait-elle qu'un souvenir, comme ces gravures aux couleurs irréelles, ces paysages au ciel trop bleu que l'on retrouve avec émotion dans une vieille boite de cartes postales ? La Bretagne, autrefois réalité, serait-elle devenue une gentille légende ?

Les nouvelles cartes postales nous montrent des sculpteurs qui taillent la statue de Saint Gwenole, ou des vieux pêcheurs qui devisent devant la mer à Roscoff. Mais on comprend vite que ce sont là des images marginales, et que la Bretagne d'aujourd'hui est ailleurs. Les Bretons contemporains ont d'autres préoccupations que de sculpter des statues. Nos guides touristiques nous donnent alors quelques indications que nous n'avions pas remarquées à la première lecture. Ils nous parlent de festoù-noz, de langue bretonne, de revendications culturelles. Mais on les sent mal à l'aise. Ils ne contrôlent plus.

Le touriste recherche la particularité, à condition que celle-ci ne soit pas agressive. Elle ne doit pas remettre en cause son confort intellectuel. Il faut éviter de contredire ses vérités d'école primaire. Nous allons donc quitter la Bretagne facile et prendre les chemins de traverse. Notre escapade touristique nous a révélé des marques de l'inspiration bretonne. Elle nous a fait découvrir le spectacle breton. Il nous faut maintenant nous aventurer au-delà du spectacle.

## UNE MUSIQUE SINGULIÈRE

Nous avons rencontré les bagadoù lors de notre promenade touristique. Les radios locales nous font écouter une musique qui se dit « bretonne ». Ainsi se présentent les mélodies d'Alan Stivell, les poèmes de Glenmor, les chansons de Théodore Botrel, les cantiques à Notre-Dame du Folgoët, la voix de Nolwenn Le Roy. En fouillant plus profondément dans les rayons des magasins de musique et dans les entrailles de l'internet, nous trouvons des *kan ha diskan*, des *gwerzioù* et même des cantates et des symphonies.

Quelle variété !... Richesse musicale ou classement disparate ? Suffit-il, pour qu'une musique soit qualifiée de bretonne, que le compositeur soit originaire de la péninsule ? Suffit-il que le thème se rapporte à la Bretagne ou que les paroles des chansons soient en breton ? Suffit-il de baptiser une œuvre de *« bretonne »* pour l'intégrer à notre patrimoine, comme jadis on baptisait à tout va les hérétiques et les païens, pour les faire entrer malgré eux dans l'Église ?

Qu'est-ce que la musique bretonne ? Il est impossible de le dire à priori. Les textes anciens nous apprennent qu'il existait des musiciens dès l'aube de la Bretagne. Nous savons ainsi qu'un nommé Cadiou était harpiste à la cour du Duc Hoël, au XIe siècle. La harpe est, semble-t-il, un instrument traditionnel de la musique bretonne. Le biniou et la bombarde nous apparaissent aussi comme des instruments traditionnels. Mais nous avons beau retourner ces instruments dans tous les sens, constater la place particulière de la bombarde dans la famille des hautbois et du biniou dans la famille des cornemuses, nous ne pouvons en faire une caractéristique de la musique bretonne ; celle-ci peut exister sans harpe, sans biniou, sans bombarde.

Reprenons la question d'une autre manière. Certains airs de musique, ainsi que certaines chansons traditionnelles, peuvent être datés. Ils nous ramènent plusieurs siècles en arrière et parfois dans les brumes des périodes barbares. Reprenons ces airs traditionnels, transmis de générations en générations. Voyons quelles sont leurs caractéristiques *« techniques »*.

La structure des airs traditionnels bretons est archaïque. Pléonasme, direz-vous. Oui et non. Oui, car un air ancien est forcément bâti sur un modèle ancien. Non, car cet archaïsme n'a pas survécu dans la tradition musicale de l'Europe classique, alors qu'il fournit encore des modèles structurels aux créations contemporaines bretonnes.

La plus ancienne musique européenne dont nous ayons quelque idée est la musique grecque. Elle pouvait se construire selon huit modes. La plupart de ces modes ont disparu au cours des siècles et la musique contemporaine n'en a retenu que deux, le majeur et le mineur. L'habitude est si bien ancrée que beaucoup de musiciens n'envisagent pas d'autres possibilités structurales qu'une alternative entre majeur et mineur. Et pourtant... Le chant grégorien utilise d'autres modes ; plusieurs musiques traditionnelles aussi, dont la musique bretonne. Trop éloignées du grand courant européen, elles ont conservé leurs habitudes et leurs potentialités. Cela les a préservés de l'appauvrissement.

En ce qui concerne les rythmes, il est possible de faire la même réflexion. La musique bretonne utilise les rythmes classiques, mais aussi des rythmes originaux. Lorsque la musique s'adapte aux paroles, les chants bretons peuvent présenter des rythmes inégaux. Ils nous offrent alors tout le charme du déséquilibre, dans le cadre d'une mélodie par ailleurs équilibrée.

Arrêtons-nous un instant au chant. Depuis le XIXe siècle, la coutume est de classer les chants bretons profanes - il faut mettre à part les chants religieux - en *« gwerzioù »* et en *« sonioù »*, sans compter les genres mineurs, les chansons enfantines par exemple. La *gwerz* est une complainte lente, plus pensive que triste, plus nostalgique qu'amère. La longueur des *gwerzioù* est très variable. Si pour l'adapter aux habitudes contemporaines, les chanteurs ne la font durer que quelques minutes, la tradition retient des morceaux beaucoup plus longs. Ils relatent en général des péripéties de la vie ordinaire, ou des événements graves dont le souvenir s'est transmis : naufrages, destructions, défaites, bref tout ce qui peut constituer une réflexion sur la mort ou les misères humaines. La *« sône »* est un chant plus enjoué, plus débridé. Elle raconte des événements plus agréables ou plus drôles que ceux évoqués dans les gwerzioù.

La musique religieuse, plus fidèlement transmise que la musique profane, a su conserver ses traits anciens. Des traces de sa notation, datant du IXe siècle, ont été conservées à l'abbaye de Landévennec. À la fois art délicat et exercice spirituel, la musique religieuse bretonne s'est progressivement métissée d'apports très divers. Les emprunts visaient à plaquer des paroles pieuses sur des airs qui ne l'étaient pas, mais qui avaient l'avantage d'être populaires. Les emprunts continuent d'ailleurs pour les mêmes raisons. Il existe heureusement de ordres religieux qui ne recherchent ni la popularité, ni la facilité ; grâce à eux, les apports extérieurs récents n'ont pas étouffé la richesse traditionnelle.

Nous ne pourrions terminer sur ce sujet sans évoquer le *« kan ha diskan »*. Il est difficile d'étudier ce type de chant hors de son contexte. Il fait partie d'un art plus global où musique, paroles et danse sont liées intimement. Le kan ha diskan comporte une alternance de phrases chantées, reprises par un deuxième chanteur ou un groupe. La liaison s'effectue lorsque les voix se chevauchent sur les dernières notes. Cette discipline éminemment populaire a une particularité pour le moins inhabituelle dans l'art du chant : une bonne voix peut très bien être une voix nasillarde. Autre particularité : la mesure doit ici être parfaite, afin de permettre aux danseurs de synchroniser leurs mouvements. Une fausse note est plus facilement tolérée qu'une irrégularité dans la mesure.

Après ce rapide tour d'horizon, une question impertinente surgit à l'esprit. Comment se fait-il que la musique bretonne, avec de telles potentialités, ait produit si peu d'œuvres majeures ? Les grandes œuvres sont dues à des génies ou à des travailleurs acharnés. Alors pourquoi la Bretagne n'a-t-elle pas engendré de tels hommes, ou si peu ? Les Bretons manqueraient-ils de souffle, ou de courage ? D'aucuns expliqueront cette médiocrité par l'Histoire, d'autres par la psychologie ou la sociologie. Pour ma part, j'attendrai pour répondre, car la question déborde largement le domaine musical. Contentons-nous d'observer : **la musique bretonne recèle une très grande richesse potentielle, richesse perdue par bien des musiques européennes**. Cependant, faute d'œuvres de référence admises mondialement - et aussi en Bretagne -, elle ne peut pour l'instant être rangée dans un cadre précis, définitif. Cela semble paradoxal pour une tradition aussi ancienne. Nous pourrions interpréter cette luxuriance, rebelle à toute réglementation, comme un signe d'immaturité ; ou pour employer un terme moins péjoratif, de jeunesse. Nous constaterons, sur d'autres sujets, une situation semblable.

## DES DANSES COMMUNAUTAIRES

Si les festoù-noz ne sont pas une attraction touristique de premier ordre, c'est parce qu'ils ne constituent pas vraiment un spectacle. Pour qu'un spectacle soit réussi, la présence de spectateurs est tout aussi nécessaire que les performances des acteurs. Le fest-noz se passe facilement de spectateurs ou de participants étrangers. Les fêtes folkloriques montrent et démontrent ; elles permettent la conservation et la promotion d'une tradition musicale et chorégraphique. Le fest-noz ne répond pas à une telle préoccupation. Ici, l'enjeu n'est pas de conserver ou de promouvoir. La présence trop visible ou trop massive de touristes, si elle améliore la fête folklorique, gâte le fest-noz. Il n'y a rien de commun entre le fest-noz hivernal, dans un village des Monts d'Arrée où tout le monde communie dans la danse, et le bal folklorique dans le camping d'une station balnéaire, où les bons danseurs et les musiciens se font distants, au mieux pédagogues.

**La tradition chorégraphique bretonne est très ancienne et pratiquement exempte d'emprunts aux traditions françaises**. C'est ce que nous apprennent les chercheurs qui se sont penchés sur la question[23]. Les plus vieux textes qui traitent de la danse nous parlent des « passepieds » et des « trihoris bretons ». Ils font dériver bon nombre d'anciennes danses françaises d'une origine bretonne.

Contentons-nous de rechercher l'origine de quelques danses, celles pour lesquelles les études ethnologiques sont suffisamment probantes.

La gavotte est sans doute une des danses les plus anciennes du répertoire. Il n'y a aucun lien de parenté entre la gavotte bretonne et la gavotte française, même si elles ont en commun les caractères les plus généraux des branles : danse ronde, phase à huit temps. En fait, le nom de *gavotte* appliqué à la danse ronde de Basse-Bretagne serait assez récent. Selon J.M. Guilcher, il faut voir dans les gavottes bretonnes actuelles des variantes de la dañs-tro de Haute-Cornouaille, qui serait elle-même issue du fameux trihori, si souvent cité par les anciens auteurs. L'origine de cette danse, connue comme typiquement bretonne au Moyen Âge, est trop ancienne pour que l'on puisse la déterminer avec précision.

L'en-dro est une danse au style original, mais sa structure ne l'est guère. Les appuis ressemblent aux pas de polka, de scottish ou de bourrée, pour ne citer que quelques danses. Le couple de danses en-dro/hanter-dro correspond au couple branle double/branle, connu dès le Moyen âge en France, mais aussi dans plusieurs pays d'Europe. Des danses analogues à l'hanter-dro, utilisant une succession semblable d'appuis, font partie du répertoire traditionnel des îles Feroë, de Roumanie, des Balkans, de Grèce, d'Italie, d'Allemagne, et il semble bien que cette liste ne soit pas exhaustive.

Dans la *dañs Leon*, les danseurs sont répartis en deux lignes, l'une d'hommes, l'autre de femmes. Les plus anciens témoignages font état d'un double cercle, les femmes à l'intérieur, le tout tournant *« dans le sens du soleil »*. Le tempo est modéré. Les mouvements des femmes et des hommes sont très différents. Cette disposition d'ensemble très originale se retrouve aussi dans la *country-dance* britannique, avec sans doute une commune origine celtique. La *dañs Leon* était en voie de disparition au milieu du XXe siècle. En 1950, son territoire se limitait à quelques communes entre Landerneau, Landivisiau et Sizun. Seul le renouveau des festoù-noz dans les années 1970 l'a sauvée de la disparition.

Le *passepied breton* est cité dans les documents anciens. Il est mentionné dès le XVIe siècle comme une danse très connue. Il était apprécié des milieux aristocratiques pendant tout le XVIIe siècle. Alors que les variantes qui subsistent actuellement sont des rondes ou des chaînes, Madame de Sévigné mentionne avoir observé des aristocrates bretons dansant le passepied par couples ou par quatre. Les plus anciennes descriptions révèlent elles aussi des mouvements sophistiqués, alors que le passepied folklorique que nous connaissons, rebaptisé sommairement *pach-pi*, est relativement sobre. Cette danse originaire de Haute-Bretagne, et qui fut connue jusqu'en Normandie et à Paris, était au début du XXe siècle en voie de disparition.

Les bals, le plus souvent dansés par couples, ont connu une régression comparable aux danses rondes. Mais plutôt qu'une régression géographique, ils ont subi une régression qualitative. Autrefois danses indépendantes, ils sont devenus, au cours du XIXe siècle, la seconde partie d'une suite *ronde-bal*. Puis, progressivement, il leur a été dévolu un rôle subalterne, celui d'un intermède entre deux rondes. On leur donne le nom de *dañs diskuiz* (danse de repos) ou de *tamm kreiz* (morceau intermédiaire). Notons que le bal breton, comme les autres danses bretonnes existant au XVIIe siècle, est resté insensible aux traditions françaises. Menuets, rigaudons et autres danses du siècle d'or français n'ont eu aucune influence sur notre patrimoine chorégraphique.

Depuis les années 1970, les danses les plus populaires sont essentiellement des danses paysannes très simples, en rondes ou en chaînes. La gavotte et la *dañs plinn* en sont les exemples les plus éloquents. Connues traditionnellement sur une aire assez limitée, elles se sont imposées comme de véritables danses nationales, ingrédients quasi-indispensables de tout bon fest-noz. Comme dans le cas de la littérature et celui de la langue, nous assistons au remplacement d'une tradition antique et sophistiquée par une tradition simplifiée. Ces danses populaires perdent néanmoins peu à peu leur grande simplicité, et évoluent progressivement vers des formes plus travaillées. La ronde devient chaîne, éventuellement cortège, les pas deviennent plus élégants mais aussi plus complexes. Ainsi ont évolué, entre le XIXe et le XXe siècle, l'*en-dro* et le *kas-abarh*. La voie est ouverte vers des danses citadines, plus individuelles, mais la route sera sans doute longue avant d'y parvenir.

On ne peut raisonnablement comparer le fest-noz et le bal français. Ceci a parfois été fait pour arguer que les danses françaises sont plus populaires que les danses bretonnes. En fait, dans le « petit bal du samedi soir », les danses ne sont pas d'origine française. La valse est autrichienne, le paso-doble espagnol, le tango argentin. Ces danses n'ont connu aucune transformation majeure que l'on puisse mettre à l'actif du génie chorégraphique français. Les danses plus modernes, slow, rock et autres, ont souvent une origine géographique indéfinie, quoique certaines se revendiquent anglo-saxonnes, brésiliennes ou afro-cubaines.

La tradition chorégraphique française a une histoire dramatique, qui explique sa pauvreté actuelle. Elle était bien vivante jusqu'au XVIIe siècle. Les documents qui nous sont parvenus relatent l'existence de nombreuses danses, comme les branles doubles, simples ou gais. Louis XIV et la Cour de Versailles donnent à ces danses traditionnelles un coup mortel. Elles sont abandonnées au profit de danses plus savantes. Les danses de cour supplantent peu à peu les anciennes danses, jusqu'à les étouffer complètement. Elles se complexifient et évoluent vers la création de ballets. Les non-professionnels se contentent des figures plus accessibles des menuets, des gavottes de cour, puis des contredanses. Au XIXe siècle, les danses étrangères, valses, mazurkas et autres, s'imposent. Leur adoption sans modification prouve que l'inspiration chorégraphique française s'est tarie, ou alors professionnalisée.

## DES SPORTS TRADITIONNELS

En 1520, le roi de France François 1er et le roi d'Angleterre Henri VIII se rencontrent près de Calais, au camp du Drap d'Or, et tentent de s'esbroufer mutuellement. Ils s'échauffent à la vue des tentes, des chevaux et des brocards de l'autre. Alors que les champions des deux camps se défient, les deux rois ne voient d'autre moyen de se départager que d'entrer eux-mêmes dans la lutte. Voici comment le Maréchal de Fleurange décrit l'anecdote :

*« Dans une de ces joutes, le roy d'Angleterre prit le roy de France par le collet et lui dit : « Mon frère, je veulx lutter avec vous », et lui donna une attrapade ou deux. Et le roy de France, qui était for bon lutteur, lui donna un tour de Bretaigne et le jeta par terre et lui donna un merveilleux sault. »*

François 1er a terrassé le roi d'Angleterre grâce à ses connaissances de la lutte bretonne ! ... Cela dit, la lutte n'était pas seulement un sport de roi. Les chroniques anciennes nous disent que la discipline était pratiquée par toutes les classes de la société bretonne : gentilhommes, clercs et roturiers, paysans et citadins. On s'y adonnait avec passion et le bon lutteur faisait la fierté de sa famille et de son village.

Au début du XXe siècle, la lutte bretonne n'était plus pratiquée que dans quelques zones de la Bretagne intérieure. Elle fut remise à l'honneur par un groupe d'enthousiastes. Les pionniers bretons avaient des homologues en Cornouailles britanniques, désireux de sauver la *Cornish wrestling*, la lutte cornique. C'est de la rencontre des deux groupes que naquit l'idée d'organiser des tournois interceltiques.

Le 19 août 1928, eut lieu à Quimperlé un de ces tournois : ce fut un formidable succès populaire. Encouragé par l'écho rencontré dans la population, l'équipe bretonne du Docteur Cotonnec et l'équipe cornique de M. Hooper décidèrent de ne pas en rester là. Maintenant que les luttes bretonne et cornique sortaient de leur purgatoire, et que l'idée de *« luttes celtiques »* commençait à faire son chemin, il fallait réglementer, perfectionner, adapter la vieille discipline aux exigences modernes.

Comment se pratique la lutte bretonne ? C'est un combat. Mais contrairement à beaucoup d'arts martiaux comme la boxe ou le karaté, aucun coup n'est porté. On oserait presque dire que les combattants ne font preuve d'aucune violence. Cela se retrouve aussi dans d'autres formes de lutte de par le monde. Ce qui distingue la lutte bretonne des autres luttes européennes – de la lutte gréco-romaine par exemple -, c'est que l'affrontement proprement dit est extrêmement bref. Cette particularité et quelques autres, comme le fait que les combattants tombent corpsà-corps et ne combattent jamais à terre, la rapproche curieusement du Sumo, la lutte japonaise. Il est pourtant impossible d'imaginer que cette ressemblance soit le résultat d'une influence ou d'une filiation.

Les lutteurs combattent debout. Ils s'empoignent et, quand ils ont suffisamment de pratique et d'expérience, ils ne se fatiguent pas en attaques stériles ou en gestes inconsidérés. Ils guettent l'instant. Ils épient l'équilibre, le souffle, une brèche dans l'attention. **Le combat proprement dit est une conclusion.** L'effort physique n'est que la face visible d'un effort plus complet. Le lutteur allie le geste à la perception de l'instant propice. Comme le Sumo, la lutte bretonne est une discipline à la fois du corps, de la sensation et de la réactivité.

Le vainqueur n'est pas celui qui a fatigué, usé ou anéanti l'adversaire. C'est celui qui a su intégrer la force de l'autre. L'intégration se manifeste par la beauté du mouvement. Le champion parvient, non seulement à déséquilibrer son adversaire, mais à lui faire effectuer un mouvement tel qu'il se retrouve les deux épaules à terre. Un lutteur apprécié n'est pas seulement celui qui sait vaincre ; encore faut-il que le geste soit réussi. Et si les amateurs de boxe trouvent leur plaisir dans le spectacle du choc et de l'usure de deux forces, ceux d'un tournoi de lutte bretonne trouvent le leur dans la fusion de deux énergies.

La lutte n'est pas le seul sport traditionnel en Bretagne. Le lever de la perche, par exemple, est une discipline typiquement bretonne. Il existe des disciplines assez proches dans d'autres pays celtiques. Une étude fine de ces sports traditionnels constituerait une approche psychologique et sociologique de ceux qui les pratiquent, et des Bretons en général.

## UNE SPIRITUALITÉ TELLURIQUE

Bien que les pardons fassent partie du folklore breton, qu'il *« faut avoir vu »*, les badauds ne se pressent qu'aux alentours de quelques processions réputées. Le pardon de Sainte-Anne-d'Auray ou la grande troménie de Locronan constituent des attractions touristiques. Mais ce sont les arbres qui cachent la forêt. Les milliers d'autres pardons de Bretagne n'attirent que les fidèles, et les quelques étrangers qui y participent ne sont pas là par curiosité mais par dévotion.

Ces innombrables pèlerinages, vers l'humble chapelle ou l'orgueilleuse basilique, vers la statue d'une vierge en majesté ou celle d'un pauvre ermite local, sont en général dédaignés du touriste moyen qui ne se sent pas à l'aise devant un spectacle où les acteurs négligent les spectateurs.

Il n'existe de *« pardons »* qu'en Bretagne, bien que cette coutume n'ait pas une origine bretonne. Autrefois c'était une cérémonie religieuse à laquelle les fidèles se rendaient pour se faire amnistier par Dieu et par son clergé. Au Moyen-Âge, les pèlerins voyageaient vers des lieux très lointains, comme Rome ou Saint Jacques de Compostelle, pour obtenir des indulgences. Puis, à partir de la fin du XIVe siècle, il devint possible d'obtenir la rémission des péchés, ou une diminution de son temps de purgatoire, en versant des dons. Bien des monuments religieux de Bretagne bénéficièrent de ces apports financiers, où l'or des nobles se mêlait au cuivre des pauvres gens.

Au XVIIe siècle, la Bretagne qui avait, semble-t-il, négligé ou mal perçu l'enseignement de l'Église, fut sillonnée par des « missions » menées par des religieux infatigables. Les plus connus sont Michel Le Nobletz et Julien Maunoir. Les missions instaurèrent des fêtes annuelles destinées à rappeler le message divin. Les apparitions et les guérisons miraculeuses mirent un point d'orgue à l'œuvre des missionnaires et contribuèrent à impressionner les populations. Elles firent de la fête annuelle une cérémonie au cours de laquelle on ne cherche plus à obtenir le pardon, mais la faveur divine. Les pardons préfèrent se tourner vers les saints qui guérissent, aident ou protègent, que vers le Dieu qui pardonne.

Le culte des nombreux saints locaux est une des particularités les plus étonnantes de la tradition spirituelle bretonne. Jusqu'au milieu du XIXe siècle, le livre *« Buhez ar Zent »,* qui raconte la vie de saints d'ici et d'ailleurs, a été le seul ouvrage que possédaient bien des familles bretonnes. Aujourd'hui encore, on raconte aux enfants la vie des saints locaux. Ces biographies, devenues légendes populaires, ont toute la saveur d'un récit d'aventures. De Saint Herbot à Saint Cornely, de Sainte Ninog à Sainte Nolwenn, en passant par Efflam, Enora, Meriadec ou Goulven, chaque paroisse a son protecteur particulier. L'ombre bienfaisante de ce personnage vénéré s'étend sur les champs, les bois et les fontaines locales.

L'Église romaine centralisée est trop souvent portée vers les questions intellectuelles. Elle a négligé et même rejeté ces saints qu'elle n'avait pas elle-même labellisés, et dont les exploits dans la lutte contre Satan tiennent parfois du burlesque. Du moins ces saints-là étaient-ils concrets, proches de leur peuple. Le peuple, en retour, les protège et les garde en mémoire. Il continue à les invoquer, et à baptiser ses enfants Ronan, Hervé ou Gwenaël.

L'église a aussi voulu voir dans certains noms la déformation d'une appellation mieux contrôlée : c'est ainsi que Saint Igno est devenu Saint Ignace, Saint Pol Aurélien est devenu Saint Paul, Saint Jacut est devenu Saint Jacques. Ces transpositions arbitraires ont donné lieu à des anecdotes assez piquantes. Ronan, par exemple, a été considéré comme une déformation de René. Or le personnage de Ronan est attesté historiquement en Irlande et en Bretagne, tandis que l'existence de René, « né deux fois », est pour le moins douteuse...

Un autre point pérenne de la tradition spirituelle, à rapprocher du culte des saints locaux, est le culte des morts. Les légendes et les chants populaires révèlent une très forte préoccupation des Bretons pour l'au-delà. Aujourd'hui, le lien qui existe entre les vivants et les morts est encore caractéristique d'un mode de penser assez différent des traditions des voisins normands ou angevins. La fête de Toussaint, qui précède le « jour des morts », est la période la plus propice au retour des Bretons qui ont émigré loin du pays. Ils reviennent chaque année, à cette occasion, saluer ceux qui sont restés, les vivants et les morts.

En fait, il n'y a pas, dans la tradition spirituelle bretonne, de limite précise entre le profane et le sacré. Nous l'avions déjà remarqué à propos de l'architecture religieuse : l'église n'est pas l'extraordinaire dressé face à l'ordinaire, elle n'est pas le surnaturel opposé au naturel. Et si le lieu saint est familier, la nature environnante s'est, en sens inverse, imprégnée de sacré : croix aux carrefours, sans compter les menhirs et les dolmens évoquant une plus ancienne forme de réflexion. Au cours des pardons champêtres se succèdent, sur la même herbe, la cérémonie religieuse et les festivités populaires. Ici, le sacré est finalement très peu céleste ; il est tellurique.

Finalement, **la manifestation de l'identité bretonne dans la vie spirituelle passe, non pas tant en tournant son regard vers le ciel, mais en regardant autour de soi.** Le divin est lointain, sans doute inaccessible. Néanmoins, les intermédiaires ne manquent pas. Ils sont familiers, ils ont un visage, une personnalité concrète. Un peu comme dans la tradition japonaise du Shinto, les intercesseurs sont les anciens devenus saints, et les parents morts.

## UNE LANGUE AUTOCHTONE

La langue ! Voilà bien une manifestation particulièrement encombrante de l'identité bretonne. Dans le passé, il n'y eut jamais trop d'arguments pour la considérer comme incongrue, inintéressante ou négligeable. Ravalée au rang des patois provinciaux, sa grammaire a été niée, son vocabulaire jugé trop pauvre, son territoire sous-estimé, son unité niée, ses utilisateurs moqués.

Aujourd'hui, les exagérations les plus criantes peuvent être facilement écartées. Tout le monde peut apprendre cette langue. Tout le monde peut avoir accès aux documents et aux études linguistiques. Aux criailleries – et aux louanges excessives - ont succédé les échanges d'informations. Le débat, s'il n'est pas toujours académique, se nourrit de faits et d'arguments.

**La langue bretonne est une langue vivante**. Même ceux qui ne la parlent pas la croisent dans les médias et sur les panneaux routiers. En 2020, le *brezhoneg* était la 82eme langue de Wikipédia.

La langue bretonne se différencie d'abord des langues voisines par son origine. Le français, l'italien et l'espagnol sont des langues latines, l'anglais et l'allemand des langues d'origine germanique. Le breton est une langue celtique, comme le gallois ou l'irlandais. La civilisation celtique est apparue avec l'âge du fer en Europe. Elle s'est individualisée dans les vallées du Danube et du Rhin. Elle s'est maintenue à l'ouest du continent. Le breton provient de la langue que parlaient les migrants venus de l'Ile de Bretagne en Armorique, qui n'était pas très éloignée de celle que parlaient les populations autochtones. La « langue bretonne » mérite donc d'être ainsi dénommée, parce qu'elle est une langue bien différenciée, et parce que son histoire est bretonne.

La langue bretonne diffère du français par son type. Le breton est une langue agglutinante. Les unités sont formées d'un radical auquel s'ajoutent des préfixes ou des suffixes compréhensibles. Le français, en revanche, est une langue dite flexionnelle ; les affixes sont amalgamés et les mots nouveaux procèdent de racines étrangères, latines ou grecques généralement.

Le breton diffère aussi du français par sa grammaire, dont plus personne aujourd'hui ne conteste l'existence, sauf les incultes. Le breton diffère enfin du français par son vocabulaire. Cependant, ce vocabulaire s'est progressivement appauvri, pour la simple raison que ses utilisateurs étaient pauvres. Il s'est nourri de mots français parce qu'on emprunte naturellement aux riches. Il conserve néanmoins un capital initial de mots particuliers, ainsi que la faculté, comme les autres langues agglutinantes, d'en fabriquer facilement de nouveaux.

L'aire de diffusion du breton qui, au maximum de son extension, atteignait une ligne allant de Dol à Pornic, a régressé au cours des siècles. Aujourd'hui, cette aire de diffusion traditionnelle de la langue bretonne perd de sa consistance. De nombreux bretonnants ne transmettent pas leur langue maternelle à leurs enfants. Par ailleurs, des non-bretonnants de naissance apprennent le breton et le transmettent à leurs enfants, et cela sur tout le territoire historique breton et au-delà. Les « limites linguistiques » ne veulent plus rien dire.

Le breton serait-il négligeable parce qu'il est peu parlé ? Non bien sûr. La valeur d'une langue n'est pas liée à une quantité d'utilisateurs. Le nombre de locuteurs ne dépend pas des qualités intrinsèques de la langue, mais de son environnement politique et économique. Certains pays d'Afrique ont adopté la langue française, d'autres l'anglais, non pas parce que ces langues leur convenaient, mais parce qu'ils ont été colonisés, soit par les Français, soit par les Anglais. Le Breton n'a qu'une place très limitée dans la vie publique parce que ceux qui contrôlent la vie publique ne lui accordent qu'une place très limitée.

Il est possible de citer des dizaines de « petites langues » qui sont à la fois moins parlée et plus honorée que le breton. Prenons le cas de l'islandais. Bien que cette langue soit parlée par moins de quatre cent mille personnes, tous les médias de l'île l'empruntent, sans que cela provoque un quelconque retard culturel, ou un isolement par rapport au reste du monde. Dans les bibliothèques, à côté des ouvrages rédigés en islandais, se trouvent des milliers de traductions d'œuvres du monde entier. Les autochtones n'éprouvent, semble-t-il, aucun complexe à se confronter à d'autres cultures, ni à utiliser quotidiennement une langue aussi marginale.

Je n'ai pas parlé du gallo dans ce paragraphe. J'aurais sans doute dû le faire pour être politiquement correct. Le gallo, langue romane, est parlé à l'est de Bretagne. Comme toutes les diversités, le gallo mérite d'être conservé. Le gallo a le droit de vivre. Si j'ai parlé d'abord du breton, c'est parce que cette langue a une dimension historique et littéraire, qui nous met en relation avec d'autres traditions européennes. C'est une langue celtique qui nous connecte à l'Irlande, à l'Écosse, au Pays de Galles, aux Cornouailles. Elle a surtout une dimension symbolique, qui nous relie à un inconscient collectif. La langue bretonne nous oblige à réfléchir à ce qu'est la Bretagne, sans nous référer au droit à la différence, sans nous ranger comme de bons soldats sous la bannière d'une morale universelle amie de la diversité. Nous cherchons ici à connaître la substance de la Bretagne, et non pas à dresser un catalogue amoureux des minorités linguistiques.

# UNE DOUBLE LITTÉRATURE

Les premiers poèmes connus, écrits en langue bretonne - nous ne parlons pas de la littérature orale, d'élaboration souvent plus ancienne mais de transcription plus récente -, datent des XVe et XVIe siècles. Ils suivent des règles très élaborées, avec rime finale, rimes internes, assonances. L'identité de ce système de versification avec celui qui existe dans l'ancienne poésie galloise n'est pas le fruit d'une coïncidence. Elle découle de l'existence de très anciennes traditions bardiques, qui datent au plus tard des premiers siècles de notre ère. Le maintien de cette tradition de part et d'autre de la Manche, après que les liens entre les deux pays se sont distendus, témoigne de l'existence d'écoles poétiques très bien structurées au point de pouvoir transmettre, siècle après siècle, un formalisme aussi compliqué. La poésie savante s'est maintenue telle qu'elle, avec son système de versification fossile, jusqu'au début du XVIIe siècle.

Le thème majeur abordé par ces œuvres est celui de la mort. Le pessimisme y est sans appel. Il suffit pour s'en convaincre d'étudier les meilleurs morceaux, comme Buhez Mabden, qui commence ainsi :

*Goude da stad ha da pompadoù*
*Gwiskamant ha paramantoù*
*Ez teuy en an Ankou ez-laouen,*
*Pan droy ennañ, d'az lazhañ mik,*
*Maz teuy da neuz da vout euzhik*
*Ha tristidik da virviken.*

(Après ta fierté et tes vanités/Tes vêtements et tes parures/La Mort viendra joyeusement/Quand il lui plaira de te tuer/Ton aspect deviendra horrible/Et triste à jamais.)

Il faut mettre en parallèle, face à ces œuvres savantes et graves, les poèmes populaires de la même époque, tels Azenorik-C'hlaz ou Paotred Plouieo transcris de l'oral à l'écrit quatre siècles plus tard dans le Barzaz Breiz. Ici, aucune rime interne, aucune école poétique. La mort est certes un thème courant, mais la tristesse y est drapée dans la fureur. L'atmosphère, ici, n'est pas pessimiste ; elle est épique.

Ainsi commence la complainte Paotred Plouieo, dans la version rapportée en écrit par le Barzaz Breiz, trois siècles plus tard :

*Malloz d'ann heol, malloz d'al loar,*
*Malloz d'ar gliz a gouez d'ann douar !*
*Malloz d'ann douar, d'ann douar Plouieou*
*A zo kiriek da wall-strifou*[24]

(Maudit soit le soleil, maudite soit la lune/Maudite soit la rosée qui tombe sur la terre ! /Maudite soit la terre elle-même, la terre de Plouyé/Qui est la cause de conflits terribles)

Dans le ton comme dans le style, deux littératures se superposent. L'une est savante, techniquement très élaborée, grave, intellectuelle. L'autre est populaire, immédiate, quasiment instinctive. D'un côté l'élégance désabusée, le raffinement et les tourments de la vieillesse ; de l'autre la fougue de la jeunesse, maladroite, excessive, toujours sincère. Et l'on se demande quel lien il peut y avoir entre ces deux littératures...

La poésie savante disparait au XVIIIe siècle. En langue bretonne, il ne reste plus que des écrits de circonstance, des textes édifiants ou religieux desquels sont exclus les soucis littéraires. Les autres textes, satires ou farces, sont d'une facture tellement moyenne qu'ils ne sont passés à la postérité que du fait de la rareté des écrits en langue bretonne de cette période. Ils ne remettent pas en cause, mais plutôt confirment le désert littéraire qui caractérise alors la Bretagne, du moins dans le domaine de l'écrit.

Le XIXe siècle est celui de la résurgence. Ce n'est pas tant une époque de créativité que de collectage et de transcription. Les chants, complaintes et traditions orales, transmis, adaptés, remaniés de génération en génération sont, après une dernière toilette, fixés par l'écrit. C'est un choc et une révélation. Apparaissent au grand jour des textes populaires possédant une puissance et une richesse insoupçonnées. Dans certains d'entre eux, l'archaïsme des thèmes, des formules poétiques, des structures musicales, la précision de certains détails, révèlent une origine très ancienne, ce qui en rajoute à la fascination qu'ils exercent.

Au XXe siècle se manifeste une puissante création littéraire en breton. Les précurseurs furent François Vallée et Meven

Mordiern. On leur doit un texte d'érudition, *Notennoù diwar-benn ar Gelted koz* (Notes sur les vieux Celtes), et une œuvre d'inspiration mythologique, *Sketla Segobrani*.

Il faut aussi citer Taldir et Tanguy Malmanche, ainsi que Loeiz Herrieu et Yann-Ber Kalloc'h. Tandis que le siècle s'avance, notre littérature passe progressivement de l'aridité à la luxuriance. En 1925 naît le mouvement Gwalarn, qui rassemble des linguistes, des traducteurs, des auteurs dramatiques, des poètes. La guerre et l'après-guerre provoquent un ralentissement provisoire de la diffusion et de la notoriété des œuvres en langue bretonne, mais non de la création. Elles se multiplient désormais, et il semble que tous les genres littéraires possibles soient désormais explorés en breton.

Tous les genres ? Pas exactement. La littérature bretonne actuelle est une littérature populaire, et même populiste. Il y a abondance de biographies et d'autobiographies de paysans, de ruraux, de gens du peuple. Il y a abondance de contes, de légendes, et de grosses farces. Le style littéraire, quand il existe, ne correspond pas à une personnalité, à une individualité affirmée. Il correspond à une recherche plus linguistique que littéraire. Il cherche à imiter les effets et les formules de l'oralité.

Résumons. Les plus anciens textes de la littérature écrite en langue bretonne nous révèlent des traditions savantes issues de la civilisation celtique. Ces traditions sont en régression et n'ont plus cours au XVIIIe siècle. En revanche, il apparaît à cette époque une littérature tâtonnante, quasi-primitive. Elle s'affirme au XIXe siècle en digérant l'apport de la tradition orale. Cette nouvelle littérature évolue au cours du XXe siècle vers l'enrichissement et l'individualisation. Nous sommes encore loin de l'expression sereine d'un style et d'un goût classique, comparable au classicisme français, anglais, grec ou arabe. **Nous sommes manifestement devant un cas d'immaturité, et non d'incapacité.**

# AR C'HALLAOUED ER MAEZ !

Mais qu'est-ce donc que ce slogan ? Il s'épanouit de temps en temps sur nos murs, dans quelques revues plus ou moins confidentielles, sur des sites internet extrémistes, ou dans la bouche d'hommes en colère. *« Les Français dehors ! »*. Voilà bien une phrase qui, si elle n'est pas exclusivement bretonne, est étonnante chez des personnes dont l'identité française ne fait aucun doute.

Aucun doute ?

Il existe des séparatistes en Bretagne ; ce n'est une révélation pour personne. De toutes les traditions bretonnes, la tradition anti-française est sans doute l'une des plus anciennes et des mieux attestées. On pourrait rétorquer qu'elle n'est plus d'actualité ; mais ceci, après tout, peut être dit de n'importe quelle tradition.

L'histoire de la Bretagne nous donne la signification d'un tel mouvement. Les premiers contacts entre les Bretons et les Francs - les Français n'existaient pas encore - ne furent ni des rapports de hiérarchie, ni des rapports d'amitié. L'hostilité fût, dès le départ, franche et réciproque. Entre le VIe et le IXe siècle, les Francs entreprennent des opérations de rapine dans la péninsule. Les Bretons se défendent avec énergie. Lorsque, après le règne de Charlemagne, les Francs veulent passer de la rapine à la domination, ils déclenchent une réaction d'unification des royaumes bretons. Entre les années 840 et 850, les chefs bretons Nominoë puis Erispoë repoussent les troupes de l'empereur Charles le Chauve. Leur supériorité militaire fut tellement nette que les Francs reconnaissent alors l'indépendance de la Bretagne.

Les périodes de prospérité bretonne correspondent à des périodes noires pour la France. Vice-versa, les périodes d'expansion et de prospérité de la France correspondent à des moments pénibles de l'histoire de Bretagne.

Entre l'année 845, marquée par la victoire de Nominoë sur les troupes de Charles le Chauve, et l'an 874, marquée par la mort du roi Salomon - Salaün en langue bretonne - successeur d'Erispoë, la Bretagne connaît une période florissante. En revanche, cette période est particulièrement néfaste pour nos voisins. En 843, le traité de Verdun avait morcelé l'empire franc de Charlemagne. L'empereur de la fraction occidentale, confronté aux Bretons, n'eut guère de chance. À l'ouest, il est défait par les troupes bretonnes. Au nord, il ne peut juguler les invasions scandinaves. En 885, les Normands assiègent Paris.

Le mouvement s'inverse trois siècles plus tard. Sous le règne de Philippe-Auguste, la France annexe la Normandie, l'Anjou, la Touraine, le Maine et une partie du Poitou. Les armées françaises sont victorieuses à Bouvines face aux armées impériales allemandes. France florissante, Bretagne languissante. Le roi français impose à la Bretagne un duc capétien, Pierre de Dreux. Heureusement, Pierre Ier devient plus breton que les Bretons eux-mêmes. Il défend avec énergie la souveraineté de son duché.

Entre 1399 et 1442, la Bretagne connaît la prospérité sous le règne de Jean V le Sage. C'est de cette époque que datent les chefs d'œuvres de l'architecture bretonne, Notre Dame du Kreisker, Notre Dame du Folgoët et bien d'autres. La marine bretonne sillonne les mers, l'industrie textile est en pleine expansion. La paix et la justice règne dans le pays. **Bretagne florissante, France languissante**. En 1392, le roi Charles VI devient fou. De 1407 à 1435, la rivalité entre les Armagnacs et les Bourguignons dégénère en guerre civile. Les Anglais en profitent pour reprendre la guerre offensive et, en 1415, ils remportent la victoire d'Azincourt, qui leur permet de conquérir la Normandie. C'est en France la période la plus noire de la Guerre de Cent Ans.

Entre l'avènement de Louis XI en 1461 et la mort de François Ier en 1547, la puissance française s'affirme à la tête des États européens. La prospérité est manifeste, les artistes accourent vers la cour du roi. En Bretagne, c'est la défaite et la perte de l'indépendance. **France florissante, Bretagne languissante**.

Jusqu'au XVIe siècle, l'indépendantisme breton n'était pas une vertu patriotique. C'était une position que l'on qualifierait aujourd'hui de « citoyenne ». Le rattachement à la France ne pouvait être qu'un rêve de traître, d'extrémiste, ou d'illuminé. Après l'Édit d'union de 1532 et jusqu'en 1789, la Bretagne est *« province réputée étrangère »* et jouit d'un statut particulier. Les événements politiques qui émaillent cette période de l'histoire bretonne sont tous liés, de près ou de loin, au refus des Bretons de devenir des Français à part entière. Pendant la Révolution française et le XIXe siècle, la Bretagne sera purement et simplement niée. Elle connaîtra une régression sans précédent. Le XXe siècle verra le retour et l'affirmation de la tradition séparatiste. En 1911 naît le Parti National Breton qui revendique dans son manifeste une *« séparation intégrale d'avec la France »*. Entre les deux guerres, le mouvement Breiz Atao balance entre les positions autonomistes et séparatistes. Pendant la deuxième guerre mondiale, un groupe de militants bretons n'hésitera pas à prendre parti contre la France en créant la Bezenn Perrot[25] et en s'engageant dans l'armée allemande. Acte impardonnable et voulu comme tel par ceux qui l'ont initié.

Depuis 1945, les partis bretons apparaissent et disparaissent. Des livres et des revues sont édités, des bombes ont explosé ici ou là jusqu'aux années 2000. En 2013, un sondage révèle que 18% des Bretons sont favorables à l'indépendance. *Ar C'hallaoued er maez !* Ce slogan est bel et bien l'expression d'une tradition authentique et fort ancienne.

Dans la littérature bretonne, la tradition anti-française transparaît dès les premiers textes. *La Prophétie de Gwenc'hlan* est considérée comme un des poèmes bretons les plus anciens, datant sans doute du VIe siècle, transmis oralement et mis par écrit au XIXe siècle. Malgré quelques déformations probables dues à la transmission orale, il garde cette grandeur sauvage, cette saveur barbare que ceux qui l'ont transmis n'ont pu inventer. Le vieux druide maudit le chef franc qui lui a crevé les yeux et voue son peuple à la destruction. La prophétie de Gwenc'hlan est sans doute le texte anti-français le plus ancien que nous possédions. Bien d'autres s'y sont ajoutés depuis. Il est impossible de les nommer tous. Citons seulement à titre d'exemple, la conclusion du poème de Jeanne-la-flamme, héroïne de la guerre de succession qui fit rage au XIVe siècle :

*« Les anciens disaient vrai*
*Il n'y a rien de tel que des os de Français*
*Que des os de français broyés*
*Pour faire pousser le blé ».*

Remémorons-nous aussi le chant *« An Alarc'h »*, composé en souvenir de l'arrivée du Duc Jean IV à Dinard, en 1379 :

*« Bonne nouvelle pour les Bretons*
*Et malédiction rouge aux Français ! »*

Ce chant a d'ailleurs été repris régulièrement par les chanteurs bretons et connait toujours un vif succès.

Cela dit, il ne faut pas oublier une certaine symétrie, ou une symétrie certaine. Dans le registre de l'hostilité déclarée, les Français nous le rendent bien. Depuis les chroniqueurs francs comme Frédégaire ou Ermold le Noir, nos voisins n'ont jamais témoigné d'une grande tendresse à notre égard, nous accusant volontiers de sauvagerie, ou des tares les plus honteuses. **Bref, la tradition anti-bretonne en France et la tradition anti-française en Bretagne se répondent comme en écho**. Ce serait faire preuve d'une grande légèreté que de considérer comme superficielle une telle constance, ou de nier que ce soit là une tradition authentique, ancrée solidement dans l'histoire et dans la littérature.

# RÉGRESSION OU RENOUVEAU ?

Notre voyage en Bretagne par les chemins de traverse nous laisse une impression étrange. Les formes les plus sages et les plus achevées de l'originalité bretonne sont des formes anciennes. Les formes les plus exubérantes, les plus brouillonnes, sont proches de nous. On finirait par croire qu'ici la maturité a précédé l'immaturité, que la vieillesse a précédé la jeunesse, bref que tout évolue à l'envers.

Jusqu'au XVIIe siècle existait un art monumental de grand style, une littérature obéissant à des règles antiques. Dans l'art théâtral, les *mystères*, pleins de solennité et de méditation sur la mort, disparaissent au XVIIIe siècle. La langue alors se charge d'emprunts au français. Elle se dialectise. À partir du XIXe siècle apparaissent de nouvelles manières d'être breton, moins normées, plus locales. Le costume, les danses, les sports se teintent de fantaisie. La grosse farce d'une part, l'intention pédagogique de l'autre, imprègnent la littérature et le théâtre.

A ce phénomène, il existe deux explications possibles : la régression ou le renouvellement. Nous pouvons écarter l'hypothèse de la régression pour deux raisons. La première est que le phénomène n'est pas linéaire. Après une période où la littérature est celle des vieux sages proches de la mort, elle devient celle de jeunes maladroits pleins de vie. Durant la même période, la langue bretonne emprunte massivement des mots nouveaux et présente les caractères d'un nouveau créole. Puis, au XXe siècle, elle arrête de se dialectiser et tend vers une unification. Les traditions chorégraphiques, qui s'étaient limitées à des terroirs, s'étendent et deviennent des *danses bretonnes*. Le localisme perd ses références face au sentiment d'appartenance à la Bretagne. Ce ne sont pas là des signes de régression continue.

La deuxième raison est qu'une rupture est manifeste. Pour chacune de nos traditions, il y a un trou entre le XVIe et le XXe siècle. Les poésies bardiques disparaissent au XVIIIe siècle. À partir de quasiment rien, le costume devient un art traditionnel au XIXe siècle. L'inspiration architecturale devient simple imitation au XVIIIe siècle. La tradition anti-française connait une résurgence au XXe siècle, après être restée invisible pendant le XIXe siècle.

**La nouvelle Bretagne n'est pas une continuité de l'ancienne, mais un renouvellement**. Arrêtons de voir l'identité bretonne comme une vieille femme qui mérite le respect du fait de son âge canonique. L'identité bretonne est une adolescente pleine de fougue, au tempérament prometteur mais aux manières brouillonnes. Certes, elle a hérité d'une langue, d'une culture, d'une terre, de traditions originales. Elle a gardé mémoire, consciemment et inconsciemment, de cet héritage. Personne ne sait encore ce qu'elle en fera, ni si elle saura faire fructifier les dons qu'elle a reçu.

## SOUS-HYPOTHÈSE N°2

De notre voyage avec les touristes, nous avons retenu un mot : l'*Awen*. De notre second voyage, nous en retiendrons un autre : *connivences*. La musique, les danses, les sports, la spiritualité, la langue créent des réseaux de connivences.

Les connivences communautaires peuvent être constatées ; il est plus difficile de les expliquer. Elles passent par un langage commun et par des pratiques partagées. Elles passent aussi par la conscience d'une différence entre ceux qui sont à l'intérieur et ceux qui sont à l'extérieur. Toute connivence reconnait des inclusions et des exclusions.

La connivence linguistique est d'autant plus forte que l'on s'éloigne du français standard. Elle est puissante pour ceux qui dialoguent en breton ou en gallo. Les différences dialectales n'empêchent pas les connivences ; elles localisent sans éloigner. Il n'y a rien de mieux qu'une langue minoritaire pour créer des complicités. Ceux qui vivent en Bretagne et se sentent exclus du fait de leur origine ou de la couleur de leur peau seraient bien inspirés d'apprendre le breton. Ils verraient immédiatement apparaître des connivences.

Les connivences linguistiques existent aussi entre les Bretons qui parlent français, par l'usage de bretonnismes que les interlocuteurs savent reconnaître. Si vous remplacez « Comment vas-tu ? » par « Comment que c'est avec toi ? », vous verrez la connivence s'établir. La connivence linguistique passe aussi par l'accent, par les intonations, par les gestes et les mimiques.

Les psychosociologues[26] insistent sur l'importance du jeu, à la fois pour la formation de la personnalité, pour la reconnaissance des rôles d'autrui, pour le lien social. Le jeu est l'apprentissage des connivences. Il est très présent dans les expressions de la communauté bretonne : par la musique, la danse, le sport.

D'autres formes de connivences existent. Connivence par les croyances et les rituels. Connivence par un savoir commun, hors du rationnel et du fonctionnel. On pourrait le qualifier d'*ésotérique*, sans qu'ici il n'y ait ni volonté de secret, ni volonté de puissance. Connivence par l'humour et la moquerie. Connivence par l'attrait et par le rejet.

En Bretagne, nous avons toutes ces connivences en bouquet. Elles sont nombreuses et interconnectées. Pour les aborder, nous pourrions nous appuyer sur la *théorie de l'esprit*, construite par des spécialistes du comportement. Nous pourrions aussi nous inspirer des recherches des psychologues concernant l'empathie : empathie cognitive et empathie émotionnelle. Nous pourrions faire un détour par les neurologues. Ils ont identifié des *neurones-miroirs*, qui s'activent lorsqu'un individu en observe un autre, ou lorsqu'il l'imite. Nous pourrions mettre à contribution René Girard et ses études sur le *désir mimétique*.

Nous prendrons l'hypothèse qu'il existe des relations cognitives ou émotionnelles à l'échelle de la Bretagne. La connivence, la proximité, l'empathie, la sympathie, peu importe le mot utilisé, peut être beaucoup plus large que le noyau d'amis proches. Elle peut se faire avec tous ceux qui partagent une langue, une culture, un enracinement, une histoire, une légende. Elle peut se faire aussi avec des animaux, des paysages, des êtres rêvés.

La connivence est abordée généralement comme une réverbération des sentiments ou des connaissances entre des personnes. Je la vois plutôt comme l'atteinte simultanée d'un même champ émotionnel ou cognitif. Ces champs émotionnels ou cognitifs se construisent collectivement. Ils subsistent dans l'espace et le temps. Les individus se rencontrent dans ces champs vibratoires. Ils sont *« sur la même longueur d'onde »*.

La cohésion communautaire passe par des connivences. Le psychosociologue américain Léon Festinger la définit comme *« la somme de toutes les forces agissant sur les membres du groupe afin de les y maintenir »*. Admettons avec lui que ces forces existent, comme existent des champs d'attraction.

Deux personnes, mais aussi les membres d'une famille, d'une entreprise, d'un village, d'une nation, peuvent se retrouver dans des champs émotionnels ou cognitifs communs.

Formulons la sous-hypothèse n°2 en deux propositions.

**Proposition 2-1 : La communauté bretonne est un réseau de connivences**

**Proposition 2-2 : Il existe des champs émotionnels et cognitifs bretons.**

*Quatrième chapitre*

# EN QUÊTE DE CULTURE

*Le mot « culture » est souvent employé à tort, à travers et avec diverses significations. Dans ce chapitre, nous donneront un sens au mot « culture ». Nous éclairerons ce que l'on met sous le terme de « culture bretonne ». Son épanouissement passe aussi par une contreculture française.*

## LA MÉMOIRE, UN POINT DE DÉPART

Lors de notre escapade en quête de pittoresque, puis en quête d'authenticité, nous avons observé les Bretons. Pénétrons maintenant dans leurs cerveaux. Notre point de départ sera la *mémoire*.

Le mot, depuis quelques dizaines d'années, s'est chargé de significations diverses, parfois contradictoires. Elle était au départ un capital immatériel tout à fait personnel. Puis la mémoire a été assumée par la collectivité. Enfantée par une nuée de sociologues, de psychanalystes, de mystiques, la *mémoire collective* est apparue. Elle coïncide avec la vogue des *commémorations*, en particulier celles des guerres mondiales. Pour éviter que la commémoration ne tombe en désuétude faute d'anciens combattants, le *devoir de mémoire* est apparu. Il s'est multiplié de façon anarchique. Il en est devenu suspect. Il faut convenir que la confrontation des mémoires peut s'avérer déstabilisante. Afin de contrer les réminiscences parfois agressives des uns et des autres, *l'histoire* officielle s'est dressée, telle une statue triomphante, contre les mémoires surgies du magma populaire[27].

Les informaticiens nous ont ramené à une définition sans gloire, mais précise. **La mémoire est un lieu de stockage des informations, appelées *données***. Dans la société de défiance qui est la nôtre, l'accumulation de données est une activité indispensable. Les processus de production ou de consommation ne se conçoivent plus sans traçabilité. Il faut disposer d'innombrables informations pour assurer la *sécurité*. La sécurité se veut omnisciente, omnipotente, omniprésente. Elle ponctue nos vies et notre vocabulaire : sécurité publique ou sécurité alimentaire, sécurité routière ou sécurité sociale.

La mémoire est ce qui permet à un individu, à une collectivité ou à une machine d'accumuler des informations. La mémoire humaine a l'intérêt de pouvoir être consultée par celui qui la détient à tout moment et en tout lieu. Elle constituait, autrefois, un avantage intellectuel considérable. Aujourd'hui, la mémoire des machines informatiques surclasse largement les performances humaines.

L'accumulation mémorielle, qu'elle soit humaine ou mécanique, n'a de valeur que dans un contexte d'utilisation ou d'échange. Et c'est alors que nous sautons à un niveau supérieur. **Ce deuxième niveau est celui du traitement des données**. Elles sont analysées, rapprochées, combinées. Placées dans le cadre adéquat, elles acquièrent une valeur et une signification. Nous passons de la mémoire à l'intelligence.

L'école, la famille, les fréquentations, les expériences personnelles, permettent d'acquérir un mode d'emploi des données. En les interprétant, en les reliant les unes aux autres, en leur donnant un sens, nous accédons à la *compréhension*. Aujourd'hui, avec l'internet, les médias mondiaux, Wikipédia, la base de données est la même pour tous. Mais tous les humains ne sélectionnent pas les mêmes informations. Même si nous devions *réinitialiser* notre mémoire pour ne garder que les données de Wikipédia, nous ne penserions pas tous de la même façon. Heureusement ! Un monde peuplé d'individus qui partagent tous la même mémoire et disposent tous de la même intelligence n'est pas un rêve d'harmonie. C'est un cauchemar. Les êtres humains de chair et d'os seraient devenus superflus. Les machines intelligentes se suffiraient à elles-mêmes.

Les intelligences humaines se construisent à partir d'expériences personnelles, pas toujours rationnelles. Elles sont couplées à une créativité et à une imagination dont les origines sont hétéroclites. Les intelligences humaines sont, de ce fait, plus diverses que les intelligences des machines. Parmi l'immense quantité de réponses qu'elles peuvent donner, il en est qui seront étonnamment stupides et d'autres qui seront étonnamment géniales. La capacité de variation des intelligences humaines est un atout lorsqu'il existe une pression sélective. La pression sélective est d'abord celle de l'environnement local, que l'on soit en montagne ou en bord de mer, en climat tropical ou glacial, en Bretagne ou en Mongolie. Elle est aussi celle des traditions, des ressources disponibles, de toutes les diversités de l'histoire, de la géographie, de la sociologie. La diversité des intelligences est une adaptation nécessaire à la diversité des environnements.

# DU SAVOIR AU SAVOIR-VIVRE

Nous sommes partis de la mémoire pour en arriver à l'intelligence et à la compréhension. Qu'y-a-t-il au-delà ? Rabelais se réveille et nous assène une bonne leçon : *« Science sans conscience n'est que ruine de l'âme ».* La ruine de l'âme est l'incapacité à se diriger en fonction d'un *bien*. **La notion du bien, bien individuel ou bien commun, nous mène à un troisième niveau, celui de la conscience**. L'intelligence du *« premier de la classe »* n'est pas suffisante pour faire de lui un individu véritablement *cultivé*.

A ce troisième niveau, nous accédons à une dimension spirituelle. Entendons-nous sur les mots. Ce n'est pas la spiritualité du gnostique, qui aspire à l'information cachée ; il lui suffit pour cela de détenir un savoir d'initié. Nous ne serions là qu'au premier échelon, celui des données. Ce n'est pas non plus la spiritualité de la méditation, qui vise la compréhension en empruntant des chemins de traverse. Nous ne sommes là qu'au second niveau du savoir. La conscience du bien se situe sur un palier supérieur. Pour les uns, le bien est une règle morale ou religieuse ; pour d'autres, c'est la jouissance, le pouvoir, l'intérêt personnel. Pour d'autres encore l'intérêt collectif. Plutôt que de *conscience du bien*, nous pourrions aussi parler de *sentiment du bien*. L'éducation permet d'atteindre ce troisième degré de la culture. L'éducation, c'est l'instruction, complétée par une vision de soi et du monde. Cette vision particulière introduit une perspective. La force et la beauté de la perspective fait la différence entre une bonne instruction et une bonne éducation.

**À son quatrième et dernier niveau, au-dessus de la conscience, la culture s'épanouit dans un art de vivre ensemble**. Les données, l'intelligence et le sentiment du bien se réalisent dans des comportements, qu'ils soient quotidiens ou exceptionnels. L'art de vivre ensemble est un art de se comporter, de ressentir, de décider. Tout est lié. Les neurobiologistes ont montré qu'un individu qui, par accident, aurait été privé de la faculté de ressentir des émotions perd du même coup la faculté de décider[28].

La culture est l'ensemble de nos quatre niveaux du savoir. Posons une définition : ***La culture est un ensemble cohérent d'informations, d'interprétations et de perspectives, qui s'épanouit dans un art de vivre ensemble.***

Dans la même approche, ***un individu cultivé se caractérise par une mémoire, une intelligence, une conscience et un savoir-vivre.***

## CULTURE ET RAISON D'ÉTAT

Lors des débats entre *Instruction publique* et *Éducation nationale* en France[29], la distance entre le pouvoir et la culture a été exprimé de la façon la plus claire qui soit. La différence avait été évoquée dès le XVIIIe siècle par les partisans d'un État fort. Ainsi, Rabaut Saint Etienne proclame en 1792 : *« Il faut distinguer l'instruction publique de l'éducation nationale. L'instruction publique éclaire et exerce l'esprit, l'éducation nationale doit former le cœur »*. Nous retrouvons là la différence entre notre deuxième et notre troisième niveau. Chez les partisans de l'Éducation nationale, l'objectif est la création d'une culture d'État destinée à supplanter les autres identités collectives, qu'elles soient religieuses, professionnelles ou provinciales. Cet objectif est ouvertement totalitaire. Les propos de Le Pelletier le 13 juillet 1793, soutenu par Robespierre, ne laissent aucun doute : *« La totalité de l'existence de l'enfant nous appartient »*.

Les démocrates comme Condorcet pensent au contraire que *« l'éducation publique doit se borner à l'instruction »*. Le Ministère de l'Instruction Publique en France fut conçu dans cet état d'esprit modéré. Condorcet ne put s'en réjouir bien longtemps ; il est mort en prison en 1794.

Le premier à s'attribuer le titre de *Ministre de l'Éducation Nationale* fut Anatole de Monzie, en 1932. Son programme tient dans la formule de *« l'école unique »*. Derrière cette formule se profile le spectre d'une culture d'État. C'est la volonté de faire disparaître les religions, les langues et les cultures minoritaires, afin que tous les citoyens vibrent à l'unisson.

Cet homme est très représentatif de l'idéologie française. À partir de 1935, il supervise la publication de l'*Encyclopédie française*, avec Lucien Febvre, un des fondateurs de l'École des Annales, et Gaston Berger, père de la prospective française. En 1933, pour maintenir l'unité de méthode éducative, il « déplace » le pédagogue Célestin Freinet, dont la seule issue fut de créer son école hors du service public. Ministre des Travaux Publics d'août 1938 à juin 1940, animé par l'idée que seules les grandes nations doivent survivre, il accepte de sacrifier la Tchécoslovaquie pour préserver la paix entre la France et l'Allemagne. Il est ensuite d'avis de lâcher la Pologne. Pendant la guerre, il s'essaie à l'antisémitisme dans l'ombre de son ami Louis Darquier de Pellepoix, commissaire aux questions juives.

Ce détour par Anatole de Monzie n'est pas inutile. Il nous fait toucher du doigt les tensions qui affectent la culture bretonne. Il est commun, dans le cadre des grandes cultures, de considérer que les petites cultures souffrent de pauvreté (premier niveau), d'irrationalité (second niveau), d'une vision limitée du monde (troisième niveau) et d'un manque de savoir-vivre (quatrième niveau). Ces quatre flèches désignent quelqu'un que l'on reconnait aisément et que l'on qualifie d'un mot : le *plouc*. Constatons que ceux qui condamnent ainsi les cultures minoritaires n'en connaissent généralement pas grand-chose.

Au-delà du jugement sommaire, il existe des stratégies de la domination culturelle. Elles aussi peuvent être analysées à partir des quatre niveaux de la culture. Cela commence par la confiscation d'informations, qui permet d'appauvrir ou d'oblitérer la mémoire. Ensuite vient la contrainte sur les interprétations, afin qu'elles justifient la gloire des uns et la honte des autres. Puis toute perspective autonome est déniée, ce qui brouille l'avenir pour le dominé. Enfin, ses habitudes sont moquées et ses réactions réprouvées. Face à ces attaques, la culture bretonne, comme toutes les cultures minoritaires, réagit symétriquement : par la quête, toujours renouvelée, parfois obsédante, de données ; par l'exploration de nouvelles logiques interprétatives ; par la revendication de perspectives autonomes ; par la défense d'un art de vivre. Ces quatre réactions ont façonné la forme actuelle de la culture bretonne.

## ACCÉDER AUX DONNÉES

La première préoccupation du dominant est le contrôle de la mémoire. Au XVe siècle, après la bataille de St Aubin du Cormier, les archives bretonnes furent confisquées et vraisemblablement détruites par les Français vainqueurs. Les Bretons, pour justifier leurs droits, ne purent obtenir qu'une *copie* faite par les vainqueurs.

Aux siècles suivants, les œuvres des historiens de la Bretagne sont caviardées, en particulier sur cinq points :

- *L'existence des rois bretons ;*
- *L'antériorité de l'arrivée des Bretons en Gaule par rapport aux Francs ;*
- *L'indépendance politique des ducs ;*
- *L'illégitimité des prétentions des rois français sur le duché de Bretagne ;*
- *Les malversations au moment de l'Acte d'Union.*

Les grands historiens de la Bretagne, Bertrand d'Argentré, Dom Lobineau, Dom Morice, sont soumis à la fois à la censure des pouvoirs royaux et aux pressions des grandes familles bretonnes. Il leur fallut du courage et de l'astuce pour sauver du bûcher ce qu'ils ont réussi à nous transmettre.

Les Archives nationales françaises sont créées le 2 septembre 1790. Tous les actes publics du royaume y sont déposés. La loi de Messidor an II organise les dépôts. Elle autorise la destruction des documents qui témoignent de la *servitude* et du *fanatisme*. Les *libertés provinciales* étant considérées comme des privilèges depuis la nuit du 4 août 1789, les documents justifiant ces libertés n'avaient aucune place dans les archives françaises.

L'exemple breton illustre un phénomène beaucoup plus général, qui a concerné toutes les colonies. Au XXe siècle, les colonisés ne pouvaient pas se justifier par des documents nombreux et irréfutables. La seule voie praticable était la rébellion. Le colonisateur pouvait toujours se targuer d'avoir à ses côtés, non seulement des documents probants, mais aussi la morale et bien sûr la force armée.

Le monde change. Nous vivons désormais dans une *société de l'information*. Les cultures minoritaires peuvent, plus facilement qu'auparavant, reconstituer un stock d'informations et le mettre en forme, même sans disposer de documents irréfutables. A l'inverse, les murailles qu'avaient dressées les grandes cultures autour de leurs informations et de leurs interprétations ne sont plus suffisantes. La société de la connaissance est mondiale. Pour savoir comment se comportaient les Français sous le régime de Vichy, c'est un Américain, Robert Paxton, qui a déchiré le voile de mensonges et de non-dits[30]. Le fascisme français n'a commencé à occuper l'historiographie qu'après les travaux de l'Israélien Zeev Sternhell[31].

Pour une culture dominante, l'autre façon de se défendre est de mobiliser ses citoyens autour de mythes fondateurs. Elle finance des commémorations, un enseignement scolaire calibré, un devoir de mémoire normalisé, des ferveurs de commande. Remarquons que, désormais, l'évocation de Jules Ferry ou de Gambetta, héros de la République, suscite des réactions négatives qui n'existaient pas avant l'internet.

La dévalorisation des données non contrôlées par l'État s'exprime par les différences volontairement creusées entre *histoire* et *mémoire*, très à la mode dans les milieux intellectuels français. Dans l'introduction des *« Lieux de mémoire »*, Pierre Nora oppose les deux termes. *« La mémoire est un phénomène toujours actuel, un lien vécu au présent éternel ; l'histoire, une représentation du passé »*. L'esclavage, la mémoire des Noirs, des colonisés ou des périphériques, tout cela, ce n'est pas l'Histoire. *« La mémoire est, par nature, multiple et démultipliée, collective, plurielle et individualisée. L'histoire, au contraire, appartient à tous et à personne, ce qui lui donne vocation à l'universel »*. Les mémoires sont liées aux émotions. Elles sont condamnées à l'absence de perspective et à l'éternel présent. La distinction entre histoire et mémoire est une distinction idéologique entre deux identités collectives, celle du dominant et celle du dominé. L'histoire n'est pas la vérité sur le passé. **L'Histoire, avec un grand H, est la construction du passé à partir du récit mémoriel de celui qui domine le présent**.

## OSER INTERPRÉTER

Après la guerre 14-18, le gouvernement français nomme à Strasbourg des universitaires brillants. Les historiens Lucien Febvre, Marc Bloch, Georges Lefebvre ou André Piganiol ont pour charge de faire oublier la *Kaiser Wilhelms Universität*. En 1929 paraît le premier numéro d'une nouvelle revue : *Les Annales d'histoire économique et sociale*. Sans renier la fonction de reconquête culturelle qui leur a été affectée, les historiens strasbourgeois ont des cerveaux qui fonctionnent à plein régime. Ils confrontent l'histoire à d'autres disciplines. De la géographie, ils retiennent la notion du *temps long*, qu'illustrera Fernand Braudel. Les audaces intellectuelles se marient avec les présupposés du républicanisme français. L'évidence géographique de l'Hexagone est légitimée par une érudition de haute qualité et par la nouveauté d'une analyse systémique.

Le métissage entre histoire et géographie induit un mépris pour l'histoire événementielle. L'histoire diplomatique est considérée comme une idole qui ne mérite que le bûcher. Lucien Febvre veut passer de *l'histoire-récit* à *l'histoire-problème*. Au moment où les peuples colonisés découvrent qu'ils ont, eux aussi, un passé, les historiens français proclament que le fait historique est devenu insuffisant. L'école des Annales devient un recours contre toutes ces histoires exotiques, qui révèlent des héros ennemis de la France. L'histoire économique et sociale, l'histoire quantitative, l'histoire du temps long, l'histoire sérielle sont des armes qui refoulent les nouvelles consciences historiques. La fierté retrouvée des peuples périphériques est soumise à l'étouffement meurtrier de la nouvelle histoire, qui écarte avec vigueur les avalanches d'événements, dont font partie les libérations nationales.

Aujourd'hui, l'histoire de France conserve sa composante géographique. Pierre Nora, dans son entreprise sur les lieux de mémoire, révèle son projet dans la préface du tome III. Il veut faire *« l'inventaire des principaux lieux, à tous les sens du mot, où s'est ancrée la mémoire nationale, une vaste typologie de la symbolique française »*. C'est le projet de planter partout des drapeaux tricolores et d'imposer une interprétation officielle des évènements passés. Voilà un projet que soutiendrait tout nationaliste pour son propre pays.

Affronter ces grands penseurs est problématique. C'est d'ailleurs là l'objectif. On ne peut pas parler de la Bretagne, des peuples noirs, du mythe de l'Hexagone, sans être considéré comme un nain face à des géants. La hauteur de leur pensée ne peut, ne doit pas être contestée. Le défi, tel celui de David à Goliath, est pourtant devenu possible. Certes, l'affrontement direct est voué à l'échec. La remise en question des affirmations simplistes que les instituteurs nous ont martelées dès l'école primaire est blasphématoire. Mais des angles de tirs existent. Pierre Péan a montré que, lors de la révolution de 1789, le soulèvement des populations de la région d'Ancenis contre les républicains est, non pas une réaction de conservateurs contre des révolutionnaires, mais la résistance des pauvres travailleurs de la terre et des mines face à la bourgeoisie nantaise[32]. Reynald Secher démontre, à partir des écrits de Gracchus Babeuf, que la répression des chouans vendéens s'inscrit dans une politique de *dépopulation*, que nous appellerions aujourd'hui un génocide[33]. Ironiquement, ce sont les archives du dominant, devenues accessibles, qui permettent de nouvelles interprétations.

## SE DONNER DES PERSPECTIVES

Une culture, lorsqu'elle est privée de perspective, se limite à un folklore. Remarquons que la dépossession culturelle ne touche qu'un seul sens, celui de la vision ; c'est le sens qui permet la perspective. La musique, qui concerne l'ouïe, la cuisine, qui concerne le goût, la danse, qui concerne le toucher et le mouvement du corps, sont tolérées dans les rapports culturels de dominance. Il peut exister une musique, une cuisine, des danses folkloriques. Il n'existe pas de perspectives folkloriques.

Dans les États multinationaux, le pouvoir politique ne dicte pas les perspectives culturelles. En France, État-nation, l'impératif d'une unité de perspective est, en lui-même, un trait culturel fort. Le lien entre la culture et le pouvoir politique y est structurant. L'histoire enseignée est celle de la puissance publique. La géographie renvoie, non pas à la notion d'influences, mais à la notion de frontières. Dans un État-nation, tout s'explique par une perspective unique. C'est sans doute ce qui donne, à celui qui fréquente plusieurs cultures, la sensation d'une arrogance du citoyen *monocultivé* des grands États-nations.

Outre le contrôle des données et la canalisation des interprétations, les techniques de domination visent à l'enfermement des perspectives. Les éléments positifs de la culture indigène ne sont pas réfutés mais écartés au nom d'autres marqueurs. Le dominant met en avant la violence, la bassesse, la bêtise du dominé. Il ne se fatigue pas trop. Ces réalités ne sont pas difficiles à trouver, car elles existent partout. Pour justifier l'occupation de la Gaule, Jules César argumente sur la nécessité humanitaire de faire cesser les guerres tribales. Les conquêtes coloniales utilisent des arguments similaires. Pour justifier le monolinguisme, le conventionnel Barrère, dans son discours du 8 Pluviose an II, reste dans le même registre : *« Le fédéralisme et la superstition parlent bas-breton ; l'émigration et la haine de la République parlent allemand ; la contre-révolution parle l'italien, et le fanatisme parle le basque (...). Ayons l'orgueil que doit donner la prééminence de la langue française depuis qu'elle est républicaine (...) ».*

La volonté des États-nations de bloquer les perspectives des cultures dominées est liée à leurs perspectives unificatrices. Mais l'unification n'est plus, désormais, à l'ordre du jour. Dans notre société de savoir mondialisé, les cultures dominées passent à l'offensive. Elles brouillent à leur tour les cultures dominantes. Elles disposent de deux outils : la relativité et la contreculture.

## RELATIVISER

L'homme monoculturel est condamné à porter un corset intellectuel dont il ne se rend même pas compte. *« Le media c'est le message »* disait le sociologue Marshall Mac Luhan[34]. *« Donc la langue c'est le message »,* pourrait-on lui renvoyer en écho. Bien des études ont été faites là-dessus. Tout un mouvement intellectuel, que l'on appelle le *linguistic turn*, a réfléchi sur la distance inévitable entre la vérité et l'expression de la vérité. Cette expression ne peut se faire qu'à travers une langue donnée. Or le langage n'est jamais un media transparent.

Mais, me direz-vous, un Breton, dont la langue est forcément plus pauvre que la langue française, porte un corset intellectuel bien plus étroit que le Français moyen ! Je pourrais répondre que la syntaxe bretonne est à la fois plus riche et plus libre que la syntaxe française. Pour signifier *« Je vais à Nantes »,* je peux dire : (1) *« Da Naoned e z'an »* (A Nantes je vais), si je veux insister sur la destination en la mettant en tête de phrase ; (2) *« Mont a ran da Naoned* » (Aller je fais à Nantes), si je veux insister sur l'action elle-même ; (3) « *Me zo 'vont da Naoned* » (je suis allant à Nantes) si je veux insister sur le sujet agissant.

Je pourrais aussi donner une toute autre réponse, hors des querelles sur la valeur, le potentiel ou le charme de chaque langue. Aujourd'hui, notre insuffisance culturelle joue en notre faveur. Lorsque nous sommes bretonnants, nous sommes, forcément, multilingues. Tous les bretonnants ont, par ce fait, accès à une diversité que n'imagine pas le Français moyen. Par une ironie de l'histoire, cet homme, qui se voulait le citoyen éclairé du monde, est prisonnier d'un héritage culturel imposant mais trop grand pour lui. Il est légitime de s'en moquer, comme les jeunes voyageurs désargentés se moquent des vieux rentiers sédentaires.

De nombreux intellectuels français crient leur crainte ou leur dégoût du *relativisme culturel*. Ils expriment par là leur repli face à la révolution qui transforme le monde depuis 1945, et qui est loin d'être achevée. Cette révolution a commencé par les combats politiques pour la décolonisation. Elle s'est poursuivie par la décolonisation intellectuelle. Force a été aux élites occidentales d'accepter l'existence de cultures pour lesquelles elles n'avaient qu'ignorance et mépris. La mondialisation constitue le décor actuel du drame. L'enjeu en est l'affirmation individuelle et collective. La question de la démocratie est posée. La définition de l'humain en dépend.

La limitation du vocabulaire introduit malheureusement une limitation de la pensée. En français, le mot *culture* est unique. Les Allemands, eux, disposent de deux termes. L'un, *Bildung*, désigne l'étendue d'un savoir personnel. L'autre, *Kultur*, signifie un patrimoine collectif immatériel. L'érudit *Bildung* se flatte de la masse d'informations stockées dans son cerveau. L'héritier de *Kultur* observe la diversité, les couleurs. Il ne calcule pas une quantité de livres, d'œuvres d'art, ou de mégaoctets. Il compare la culture allemande à la culture danoise et nous mène à la découverte de ce qui est spécifique à l'une et à l'autre. Pour un bilingue ou un biculturel, il est toujours possible de différencier l'une et l'autre langue, l'une et l'autre culture, même si les deux font partie d'une mosaïque personnelle. Pour celui qui se suffit d'une seule « grande » culture, française, anglo-saxonne, allemande, l'exercice est plus difficile. Le quantitatif, plus facile à appréhender, prendra toujours le pas sur le qualitatif. Pour le monocultivé, la culture est une accumulation ; il compare la hauteur des empilements.

Une seconde confusion vient embrouiller la réflexion. Pour désigner ce que la langue française nomme *peuple*, les Anglo-saxons disposent de deux termes. L'un, *folk*, désigne la communauté culturelle, historique, ethnique. C'est dans ce sens que Montesquieu souhaite que les lois soient conformes aux caractères des peuples. *« Lorsque les citoyens suivent les lois, qu'importe qu'ils suivent les mêmes ? »*[35]. L'autre terme, *people*, a une dimension sociale. C'est ce sens que les révolutionnaires français ont retenu. La tolérance à la diversité que souhaitait Montesquieu est balayée. La Raison, telle qu'elle est perçue à Paris, devient le seul esprit inspirateur des lois. De telles dispositions furent à juste raison considérées comme agressives. Les révolutionnaires français accaparaient pour eux-mêmes une partie seulement de l'héritage des Lumières, mais se considéraient comme les seuls propriétaires du label. **La pauvreté du vocabulaire français, qui confond *Kultur* et *Bildung*, *Folk* et *People*, induit une incapacité à penser la diversité**. Cette incapacité se manifeste par une difficulté à tolérer.

Fort heureusement, les Français ne sont pas seuls au monde. En Allemagne, la relativité culturelle est portée par Johann Gottfried von Herder. Dans son *Journal de mon voyage en l'an 1769*, il écrit : *« Pas un homme, pas un pays, pas un peuple, pas une histoire nationale, pas un État ne ressemble à un autre ; par conséquent le Vrai, le Beau et le Bien en eux ne se ressemblent pas non plus »*. Dans *Une autre philosophie de l'histoire*, parue en 1774, à la relativité géographique et historique, il ajoute la relativité morale. Montesquieu avait relativisé les législations. Herder relativise les mœurs et les valeurs spirituelles. Il existe selon lui des génies nationaux incommunicables. Si chaque homme possède une âme, chaque communauté humaine aussi. Il existe des *âmes nationales*, ce qui justifie, non seulement des institutions propres, mais des religions particulières à chaque communauté culturelle.

La réflexion sur les cultures enflamme les Romantiques et les cercles démocratiques du XIXe et du début du XXe siècle. Le *Printemps des nationalités*, en 1848, vient souligner l'importance de la question. La question d'une application différenciée du socialisme aux nations agite les marxistes jusqu'à leur conquête du pouvoir en Russie. Dès le XIXe siècle, les américains se sont posés la question de la vie en commun dans un pays d'immigration. Ils ont rapidement écarté la relation supposée entre les traits physiques et les traits mentaux, qui fascinait tant l'École française d'anthropologie. Plusieurs courants de pensée, dits culturalistes, apparaissent aux USA. Les uns s'intéressent à l'histoire culturelle, d'autres au lien entre la culture collective et l'identité individuelle, d'autres encore aux communications interculturelles. La problématique – bien américaine ! - est celle de l'acculturation, c'est-à-dire de la capacité à vivre ensemble dans la diversité. Les noms qui émergent sont ceux de Franz Boas, de Bronislaw Malinowski, de Ruth Benedict, de Margaret Mead.

En France, la recherche sur les cultures est bien pauvre. Il faut attendre Claude Levi-Strauss (1908-2009) pour que la diversité culturelle devienne une question sérieuse. Et encore, chez le grand anthropologue, la pente – bien française ! - est de rechercher les *« universaux »*. Levi-Strauss s'intéresse à la prohibition de l'inceste ; il cherche à remonter aux fondements universels de la culture, lorsqu'elle se différencie de la nature. Être breton nous permet de douter de bien des universaux, qui ressemblent furieusement à des inventions, soit de l'idéalisme français, soit de l'arrogance de ses penseurs.

## UNE CONTRECULTURE

Une contreculture est une prise de distance par rapport à la culture dominante. Cette distance peut être fondée sur la prise en compte d'informations laissées de côté (premier niveau), sur des interprétations originales (deuxième niveau), sur l'élaboration de perspectives autonomes (troisième niveau). La défense d'un savoir-vivre (quatrième niveau) et la promotion d'un art de vivre ensemble vient coiffer le tout.

Écartons pour commencer un premier écueil. Les mensonges ou les fautes de raisonnement ne sont pas constitutifs d'une contreculture, ni d'ailleurs d'une culture. Certes, les mensonges peuvent mobiliser les masses. Mais ce n'est là ni le but d'une culture, ni celui d'une contreculture. Le mensonge fait partie du domaine de la propagande ou du préjugé. Il n'est pas un élément structurant pour une culture pérenne, ni pour une contreculture. À côté du mensonge, il peut y avoir l'erreur, la faille documentaire, l'irruption de nouvelles preuves. Lorsque celles-ci sont avérées - et encore faut-il qu'elles le soient - la culture ou la contreculture doivent s'adapter aux évidences nouvelles. L'une et l'autre doivent évoluer, en écartant les éléments inauthentiques.

La contreculture, nous l'avons dit, correspond à trois mouvements.

Le premier est de rendre disponible des informations cachées ou contradictoires. Voltaire a écrit un texte antiraciste très court, mais intégré dans le programme scolaire, *le nègre de Surinam*. Dans son *Essai sur les mœurs et l'esprit des nations*, il a écrit des centaines de pages pour théoriser l'infériorité raciale des Noirs et la perversion des Juifs. Ces pages ne sont jamais étudiées dans les écoles, ni même citées. Le premier apport de la contreculture, c'est de montrer que la vraie préoccupation de Voltaire se révèle dans le nombre de pages où il expose ses réflexions.

Le second mouvement est d'apporter de nouvelles explications. Les pages de l'*Essai sur les mœurs* font perdre à Voltaire sa figure symbolique de penseur de l'égalité. Mais elles donnent une explication lumineuse à sa popularité, dans une France secouée par les ambitions dévorantes de la classe bourgeoise montante.

Le troisième mouvement est de créer de nouvelles perspectives. Si, au sentiment de supériorité raciale et nationale de Voltaire, à sa haine de l'église, on ajoute les preuves de son avidité financière[36], l'auteur de *Micromégas* nous fait comprendre par anticipation les motivations secrètes et la violence de la Révolution de 1789, puis la rapacité de l'impérialisme français du XIXe siècle, bien mieux que n'importe quelle analyse universitaire.

La contreculture n'est pas une anti-culture. Lorsque la culture a été normalisée par des siècles de contrôle étatique, lorsqu'elle est devenue un sacrement administré par l'*Éducation Nationale*, la contreculture est le complément indispensable pour un exercice de l'intelligence. Il faut d'abord enrichir le stock d'informations, l'arracher au contrôle officiel. Il faut ensuite créer de nouvelles relations dans ce butin immatériel, afin que l'intelligence puisse faire jaillir ses étincelles. Il est possible d'obtenir un effet similaire par la confrontation multiculturelle loyale. La loyauté est difficilement accessible aux grandes cultures. Celles-ci se considèrent comme nécessaires et suffisantes. On peut vivre toute une vie de plénitude en ne parlant qu'anglais ou français. La confrontation, alors, est un jeu sans intérêt.

**Multiculture + Contreculture = Surculture.**

Les tenants des petites cultures comme la culture bretonne ont aujourd'hui une chance imprévue. Dans un univers mondialisé, la nécessité n'est plus la culture, mais la surculture. Les relations faciles ont déjà été faites. L'intelligence ne devient différenciatrice que dans la capacité à relier des concepts, des faits ou des éléments très éloignés les uns des autres. Une seule culture, fût-elle gonflée par le pouvoir étatique, ne peut plus dominer le monde, ni même le comprendre. La compréhension étendue passe par une mosaïque qui désormais, bien plus que des traits homogènes, constitue l'identité.

Dans cette mosaïque, l'appartenance à une petite communauté se pose d'une nouvelle façon. Je pourrais installer, au centre de mon puzzle identitaire, l'imposante pièce *culture française*. Je pourrais même me contenter de cette pièce. Mais mon puzzle identitaire sera plus propice à l'exercice de l'intelligence si j'y place, au milieu, la drôle de pièce *Bretagne*, entourée d'autres cultures singulières comme l'Irlande. Il sera encore plus excitant si j'y ajoute, dans les angles ou en dessous, les grosses pièces française ou américaine, frangées de contreculture.

## UNE SENSIBILITÉ ET UN SAVOIR-VIVRE

Dans les paragraphes précédents, j'ai présenté la culture bretonne en position défensive et réactive. Au-delà de la contreculture, existe-t-il des fondamentaux culturels bretons ? La réponse était positive et évidente autrefois. L'existence d'une mentalité bretonne, de comportements typiques et, pour les plus bienveillants, d'un savoir-vivre inimitable, ne faisait aucun doute.

Y aurait-il une sensibilité bretonne particulière ? Je n'en suis pas très sûr. En revanche, j'ai l'impression qu'il existe une *sensibilité atlantique*, dans toutes les régions océaniques d'Europe de l'Ouest. Ces régions ont curieusement des littératures dans lesquelles abondent les paradoxes, les sophismes les plus échevelés, les aphorismes provocateurs. Il n'est que de citer, parmi les écrivains du XXe siècle, l'Irlandais James Joyce, le Gallois Dylan Thomas, le Breton Tanguy Malmanche, ou le Portugais Fernando Pessoa. Ils partagent un air de famille inimitable dans la façon d'aborder la vie, de parler gravement de choses dérisoires, de jongler avec les réalités et avec les mots. C'est abusivement que l'on a attribué à cette sensibilité une dimension celtique. Elle existe aussi chez les Portugais alors que chez eux l'influence historique des Celtes est très faible. Lorsque l'on compare les littératures européennes, il est quasiment inévitable de différencier celles du Nord nées dans un brouillard glacé et celles du Sud nées dans la clarté du soleil. Les littératures de l'Ouest Atlantique portent en elles le climat fantasque qui les a vu naître.

Il est aussi tout à fait curieux de constater l'abondance de diphtongues et de sons intermédiaires dans les langues atlantiques. Les sonorités nasales du breton peuvent être facilement opposées à la clarté sonore du français ; il est facile de constater une différence du même ordre entre le portugais et l'espagnol, le gaëlique et l'anglais.

Existerait-il une « mentalité » bretonne ? Jusqu'aux écrits de Per-Jakez Helias inclus, en particulier son best-seller « Le cheval d'orgueil », ce qui nous était présenté comme *l'âme bretonne* était en fait le savoir-vivre des paysans d'autrefois. Cette mentalité et ces comportements ont largement disparu. Certains ressorts se maintiennent cependant, semble-t-il. Parmi les études qui permettraient de les détecter, je retiens celle de Jean Maisondieu, parue en 1983[37]. Ce n'est sans doute pas la plus épaisse, ni la plus colorée. Mais, par rapport au fatras d'observations éparses et indépendantes dont nous avons été abreuvés, elle présente l'inestimable avantage de relier toutes les observations à un modèle facilement compréhensible. Il existe des cultures de la honte et des cultures de la faute. Cette classification n'est pas nouvelle et, depuis Nietzsche[38], une telle dichotomie a souvent été notée. Selon Maisondieu, la culture bretonne est une culture de la honte confrontée – en position défensive - à une culture de la faute, la culture française. À cette situation, Maisondieu rattache la position de la femme, l'alcoolisme masculin, et quelques autres traits pérennes de la psychologie et de la psychopathologie en Bretagne.

*(Tout en reconnaissant l'intérêt et la justesse de cette dichotomie, je me permettrais de faire une parenthèse qui, bien que n'entrant pas dans notre sujet, me semble utile pour sa compréhension. L'habitude qu'ont beaucoup de psychiatres et psychanalystes de définir les traits psychologiques par leur revers, ou par leur aspect le plus sordide, est détestable. Je ne nie pas qu'il soit utile de remuer la boue, mais s'y complaire sans chercher à savoir si, au-delà, rayonnent la beauté, la chaleur et la lumière, me semble une conception méprisante de l'homme. La honte est le revers de l'honneur, la faute le revers de la règle. Plutôt que de parler de cultures de la honte et de cultures de la faute, il est plus conforme à l'ordre des choses, une culture étant un mouvement créateur et positif, de parler de cultures de l'honneur et de cultures de la règle.)*

Cela étant dit et la parenthèse refermée, l'étude de Maisondieu est tout à fait pertinente. Elle permet de rationaliser l'amas d'affirmations dont nous disposons sur nos traits culturels.

L'honneur est un sentiment communautaire, et son utilité sociale est presque fortuite. Manquer à l'honneur, c'est agir contre soi-même et contre les siens. Il faut sans doute rattacher à cela la soif d'absolu souvent constatée chez les Bretons. La règle, en revanche, se donne un objectif d'ordre. Elle module, calcule, mesure, confronte. Il existe des degrés, des possibilités infinies de négocier pour maintenir l'ordre. Dans les cultures de la règle, le préjudice est calculé. L'idée de *payer* est ancrée dans les cultures de la règle. Dans une culture de l'honneur, une faute ne se paie pas ; elle se venge, elle se pardonne ou elle s'oublie. La vengeance violente est peu présente en Bretagne, contrairement à d'autres communautés. On peut néanmoins citer pour mémoire le culte à Saint-Yves-de-Vérité, qui subsista jusqu'au début du XXe siècle. Le pèlerin venait y demander, non pas la justice de Salomon, mais la mort, pour son ennemi ou pour lui, afin de régler définitivement une affaire. Le suicide, devenu fréquent en Bretagne, est peut-être une autre manière, violente mais dirigée contre soi-même, de régler un différend. L'alternative à la vengeance ou au suicide est l'oubli. La tendance festive des Bretons peut y être relié. Dans notre monde de spectacle, les innombrables fêtes bretonnes, noyées dans l'alcool et dans la musique, ne révèlent plus leur fonction ancienne d'amnistie, comme l'étaient les Saturnales de l'Antiquité. Ces fêtes sont néanmoins le moment privilégié pour changer de cycle avec un ennemi, la ponctuation se faisant par l'alcool, par la danse, par la musique.

Les cultures de la règle trouvent leurs points forts dans la relation sociale, c'est à dire dans les échanges tarifés, tandis que les cultures de l'honneur trouvent leur point d'équilibre lorsque chacun reste *à sa place*. La culture bretonne a produit bien des hommes courageux : vaillants soldats, aventuriers audacieux, missionnaires intrépides. Parmi eux, peu de véritables calculateurs, aucun bâtisseur d'empire ; des voyageurs sans bagage, le plus souvent sans but matériel ni social.

S'ils ont les points forts d'une culture de l'honneur, les Bretons en ont aussi les points faibles. Leur piètre réputation en ce qui concerne les relations sociales est bien établie. Ils sont vus généralement comme des compagnons bourrus, au mieux rêveurs. Ils sont connus pour une certaine gaucherie. Trop obséquieux ou trop brutaux, ils ressemblent plus à des Prussiens qu'à des Français. Leurs aptitudes au commerce, qui est une activité liée à l'excellence des rapports humains et à l'esprit de justice, apparaît médiocre. On pourrait objecter à cela en arguant de la prospérité des marchands bretons du XVe au XVIIe siècle. En y regardant de plus près, les faits confirment pleinement mon opinion. En effet, dans tous les peuples véritablement commerçants, il existe des dynasties de marchands.

De telles dynasties existent chez les Flamands, les Chinois, les Juifs, les Vénitiens. À Nantes, aucune des grandes maisons de marchands ne se perpétua sur plus de trois générations. À Morlaix, où le goût pour le commerce fut grand, les seules dynasties marchandes sont toutes étrangères. Les Daumesnil, Tromelin, Boudin de Longpré étaient d'origine normande ; les Borgnis–Desbordes sont d'origine italienne et la liste serait longue s'il fallait les citer tous[39]. En revanche, les marchands d'origine bretonne, sitôt fortune faite, ont systématiquement cherché à acquérir des charges militaires, judiciaires ou nobiliaires ; l'honneur avant tout.

Plutôt que d'opposer deux types de cultures, ne serait-il pas plus judicieux d'opposer deux types d'hommes, le rural et le citadin ? Cette opinion peut être soutenue. Il faut néanmoins se demander si chaque culture ne sécrèterait pas ses propres modes de vie. Les peuples commerçants les plus frustres ne peuvent se concevoir sans une ville de référence, alors que la brillante civilisation de l'ancienne Irlande, telle qu'elle est relatée dans la *Geste de Cuchulainn*, ne mentionne aucune cité. Dans *Y Gododdin*, l'Iliade celtique, les armées s'affrontent mais aucune ville analogue à Troie n'apparaît à l'horizon. La profonde marque rurale dans le caractère breton n'est sans doute qu'une conséquence de la marque, encore plus profonde, d'une culture communautaire.

Un autre trait marquant du caractère breton est le rapport que les Bretons entretiennent avec le travail. Au sud de la Loire, j'ai entendu l'expression *« travailler comme un Breton »* pour exprimer un entêtement incompréhensible à l'ouvrage. Les Bretons ont la réputation d'aimer le travail. Il faut y mettre une nuance. Ils ne cherchent pas outre-mesure à le rentabiliser ou à le rationaliser ; Ils auraient l'impression de le déprécier. Un travailleur pauvre est souvent tenu en plus haute estime que celui qui s'enrichit par son travail. Les Bretons sont toujours prompts à soupçonner que la richesse provient d'artifices et de ruses plus ou moins avouables. Ce trait peut sans difficulté se rattacher à une culture de l'honneur. Ernest Renan a souligné plusieurs observations en ce sens.

Pour en finir avec nos observations, nous allons aborder deux sujets que bien des spécialistes considèrent comme intimement liés : la place de la femme et l'alcoolisme masculin.

L'alcoolisme, tel qu'il se pratique en Bretagne, peut être facilement rattaché au sentiment d'honneur et à celui de honte. On boit un verre pour honorer quelqu'un, un ami, un compagnon de rencontre. On en boit beaucoup pour se faire valoir, pour s'honorer soi-même. On boit aussi pour oublier. En Bretagne, l'alcoolisme n'est jamais lié à une culpabilité, ni l'abstention à une vertu. Il est en revanche fortement lié au sentiment de honte – et d'honneur -, ainsi qu'à l'oubli. Bien des études très sérieuses ont été faites là-dessus, mais l'expérience banale d'une soirée bien arrosée dans un bistrot des Monts d'Arrée supplée à tous les discours sur le sujet.

L'existence de collectivités matriarcales est parfois contestée de nos jours, lorsque le féminisme victimaire s'allie à la prétention universalisante. L'histoire, ainsi que les épopées anciennes, retiennent néanmoins plusieurs exemples de traditions matriarcales, en particulier dans les pays celtiques et les pays scandinaves. La place de la femme en Bretagne, constatée par les psychologues, correspond sans doute au maintien de rôles anciens dans un monde nouveau. Chez mes ancêtres paysans, c'est le marié qui allait vivre chez sa femme, dans la ferme de sa belle-famille, et non le contraire. Certes, au XXe siècle, une nouvelle hiérarchie des valeurs s'est imposée à la société bretonne. Elle a créé de nouveaux rapports au sein du couple, mais des archétypes mentaux et comportementaux subsistent.

Nous touchons ici du doigt les racines et les mécanismes de la différence entre société et communauté. La société se fonde sur un contrat, et les rapports entre ses membres sont des transactions. Pour une faute, il y a un prix à payer. La communauté est fondée sur l'honneur. La honte n'a pas de remède. Depuis plusieurs siècles, la Bretagne a été imprégnée par la religion chrétienne, religion par excellence du *rachat*, terme ô combien significatif. Elle est dominée depuis plusieurs générations par la société française, qui véhicule une des plus brillantes cultures de la règle. Et, malgré cela, même un observateur superficiel peut constater que la psychologie bretonne garde la marque de valeurs différentes de celles de ses maîtres temporels et spirituels. Quelle subtile alchimie notre environnement distille-t-il, pour nous modeler à la ressemblance de nos ancêtres ? Quelle loi d'airain nous a donc été imposée pour que nous en gardions encore la trace ? Des pensées, des pulsions, des comportements persistent, une culture persiste, et nous ne savons pas s'il faut nous montrer fiers ou honteux de cette persistance.

# SOUS-HYPOTHÈSE N°3

J'ai précédemment évoqué l'hypothèse qu'une personnalité est un ensemble cohérent de mèmes. Lorsqu'un assemblage de mèmes est cohérent, il peut passer de la donnée à la compréhension, puis à la conscience du bien, puis à un art de vivre. L'individu assemble ses mèmes et se construit ainsi une culture personnelle. Une communauté réunit les siens en un bouquet et élabore ainsi une culture collective ; la conscience du bien est alors la conscience d'un bien commun. Le lien entre les mèmes et les cultures humaines a été exploré, essentiellement par des auteurs anglo-saxons. De telles études peuvent inspirer une nouvelle façon d'aborder la culture et le séparatisme breton. L'idée d'une mémoire commune, stockée à la fois dans les cerveaux des membres de la communauté, dans leurs *savoir-faire* et dans les serveurs informatiques mondiaux, est plus attrayante que l'idée d'une forteresse à défendre. **Le communautarisme mémétique est partageur**. Il cherche à rendre accessible une richesse immatérielle. Les stratégies d'isolement ne fonctionnent pas avec le mème. Le succès d'un ensemble mémétique, nation, religion, culture, passe par des stratégies d'ouverture.

Posons la sous hypothèse n° 3 sous forme de deux propositions.

**Proposition 3-1 : La culture bretonne est composée (1) d'une mémoire commune (un ensemble cohérent de mèmes), (2) d'une manière d'assembler et de comprendre les informations (une intelligence), (3) d'une conscience d'un bien commun, (4) d'un savoir-vivre et d'un art de vivre ensemble.**

**Proposition 3-2 : L'État centralisé a marginalisé la culture bretonne. Après une longue période d'infériorité, les outils technologiques transnationaux créent un environnement favorable (1) à une contreculture, (2) à la préservation et à l'expression de la culture bretonne.**

*Cinquième chapitre*

# EN QUÊTE D'HISTORICITÉ

*Ce chapitre décrit la courbe évolutive des groupes humains, passant de la communauté naturelle, quasi-instinctive, à la société structurée. Il s'interroge sur la place de la Bretagne dans ce processus et sur l'évolution de la Bretagne au cours des derniers siècles.*

## AU DELÀ DU ROMAN NATIONAL

Pour nos premiers pas en Bretagne, nous avons suivi les caravanes touristiques. Puis nous nous sommes mis en quête d'authenticité. Ensuite, nous nous sommes aventurés dans le cerveau des Bretons. Nous allons maintenant entamer un voyage dans le temps. Où donc survivent, dans les méandres de l'histoire humaine, les communautés discrètes, les cohésions de groupe, les sentiments d'appartenance ?

Faut-il se fier aux manuels scolaires qui nous enseignent l'histoire de France ? Ils font étinceler devant nous la Pucelle d'Orléans, le Roi-soleil, les révolutionnaires inflexibles, l'empereur conquérant, la république exemplaire. La beauté des temps passés y est tellement étonnante que les plus perspicaces ou les plus prudents nous parlent d'un *roman national*. Devrons-nous, nous aussi, nous satisfaire d'un roman national pour la Bretagne ? Imiter les historiens officiels de la République ?

Il y a plus de vingt ans, j'ai écrit une histoire de Bretagne pour un éditeur de Belfast, en Irlande du Nord. Il m'avait prévenu :

le récit doit être compréhensible pour des lecteurs qui ne connaissent pas l'histoire de France. J'ai donc dû trouver des correspondances originales aux évènements bretons. Au début de chaque chapitre, j'ai rappelé les faits marquants, en Europe de l'Ouest et sur les autres continents. Duguesclin est contemporain de Tamerlan en Asie centrale, des premiers souverains Stuarts en Ecosse et des ordonnances coloniales de Kilkenny en Irlande. La duchesse Anne est contemporaine de Christophe Colomb, de César Borgia, de l'expansion turque en Europe centrale et du développement de l'imprimerie.

Mon livre a, par la suite, été traduit en français et remanié, avec pour titre : *« Histoire de Bretagne, le point de vue breton ».* L'objectif de l'édition irlandaise, écrite en anglais, était de situer l'histoire de Bretagne dans un environnement compréhensible hors de France. L'édition bretonne, traduite en français, y rajoutait une vérité dérangeante : l'observateur est toujours de quelque part. Son origine et son éducation lui assignent un point de vue, en partie conscient, en partie inconscient. L'objectivité des historiens, c'est la prétention déraisonnable à penser indépendamment de son éducation. Que cette prétention s'appuie sur des *sources* et des documents n'y changent rien. Il suffit de remonter aux raisons d'être des documents, aux tris qu'en fait l'historien et à l'importance qu'il donne aux uns par rapport aux autres. L'histoire observée dépend de l'observateur. L'histoire, malgré les dénégations de la plupart de ses représentants, est une discipline *quantique*.

L'histoire de France est écrite à partir de documents français. Que serait une histoire de France écrite à partir d'archives anglaises ? Elle serait assez différente, et pourtant les documents anglais sont aussi irréfutables que les documents français. Les archives sont le piédestal de l'historien ; de là-haut, il se fait le porte-parole de ceux qui les ont écrits. Paul Ricoeur a brillamment montré[40] que, jusqu'au XXe siècle, seuls les pouvoirs institués créent et conservent des archives.

Je ne brandirai pas les archives bretonnes. Je n'entrerai pas dans les chamailleries des porte-paroles. Mon projet est ailleurs, et sans doute plus ambitieux. Il est d'intégrer l'histoire de ma communauté dans l'histoire humaine. Pour cela, il me faut un premier guide, un *connaisseur* de l'histoire mondiale. Je cherche un historien qui soit autre chose que l'ajusteur d'un quelconque roman national.

Ce premier guide sera Oswald Spengler (1880-1936), érudit allemand, personnage original. En plus de l'histoire mondiale, il s'intéressa à la biologie et à l'évolution technique. Il manquait manifestement de sens politique et d'entregent. Sa mort prématurée, en 1936, ne fut pas pleurée par le régime allemand de l'époque. Non pas qu'il professait une idéologie déviante. En fait, il n'était récupérable par personne. D'ailleurs, aucun idéologue, qu'il soit libéral, nazi ou communiste, n'a pu ou n'a même voulu le récupérer.

Spengler n'est pas un historien-modèle. Il n'a pas consolidé un quelconque roman national. Pire que cela ; il a remis en cause l'avenir radieux des nations européennes.

D'un point de vue thématique, il cherche à embrasser l'histoire de tous les continents.

D'un point de vue méthodologique, il aborde l'histoire par l'analogie. Il définit une culture par l'affinité entre ses manifestations politiques, artistiques, religieuses, techniques. Sa méthode est profondément inductive. Une méthode de naturaliste.

Empruntons sa liberté pour édifier la nôtre.

Quitte, au bout de la route, à nous libérer aussi d'Oswald Spengler.

## LE CHAMPION DE L'ANALOGIE

Spengler ébranle l'Europe des années 1920 avec son ouvrage, *Le déclin de l'Occident*. Il est un descendant spirituel de Herder, que nous avons précédemment rencontré. Pour l'un comme pour l'autre, les cultures, synonymes d'identités collectives, sont des phénomènes d'ordre biologique. Elles naissent, croissent, vieillissent et meurent. Chaque culture est déterminée par ses gènes et par son écosystème. Certes, Spengler n'utilise pas des expressions aussi actuelles ! Mais c'est tout comme. Une culture exprime son potentiel selon un cycle historique qui rappelle le cycle vital. *« Quand le but est atteint et l'idée achevée, que la quantité totale des possibilités intérieures s'est réalisée au dehors, la culture se fige brusquement, elle meurt, son sang coule, ses forces se brisent – elle devient civilisation »*.

La civilisation est l'océan immobile dans lequel se jettent les cultures. Celles du lointain passé européen se sont fondues dans la civilisation antique, *l'Antiquité*. Les grandes cultures mondiales contemporaines se rejoignent dans la civilisation moderne, la *Modernité*. Les villes cosmopolites attirent toute la substance historique. *« Le paysage entier d'une culture tombe au rang de province, qui n'a plus à son tour qu'à nourrir les villes mondiales avec le reste de ses meilleurs hommes (…). Au lieu d'un peuple aux formes abondantes, qui a grandi dans le terroir,* ***un nouveau nomade, un parasite habitant la grande ville, homme des réalités tout pur, sans tradition, noyé dans la masse houleuse et informe, irréligieux, intelligent, stérile, haïssant profondément la paysannerie*** *(…) »*

Pour ceux qui n'ont jamais lu les œuvres de Spengler mais qui en ont entendu parler, sa conception cyclique de l'histoire humaine et son image de prophète de malheur occultent l'originalité de sa démarche. Pour ses lecteurs, sa méthode de rapprochements analogiques offre des perspectives originales. Cela n'a rien à voir avec les perspectives convenues qu'offrent les historiens conventionnels, membres éminents d'une administration dont ils font briller les archives. Cela n'a rien à voir non plus avec les fameuses « vérités historiques », car les analogies ne sont ni des vérités, ni des mécanismes. En revanche, la méthode de Spengler nécessite d'embrasser du regard bien d'autres objets que ceux qui relèvent d'une seule spécialité universitaire.

Prenons l'exemple de l'ancienne Grèce. Les penseurs grecs ont tous cherché à connaître, non pas les forces fondamentales, mais les éléments fondamentaux et l'harmonie des formes. Thalès explique le monde par un seul élément fondamental, l'eau. Pour Héraclite, le principe fondamental est le feu. Démocrite ne peut imaginer les atomes comme des particules chargées d'énergie, reliées les unes aux autres par des forces ; il les imagine comme des formes, reliées les unes aux autres par des crochets. La science grecque est classiquement représentée par la géométrie euclidienne. Ce qui frappe au premier abord dans cette géométrie, c'est qu'elle est plane et concrète. Elle s'attache à connaître les propriétés des formes. Les concepts de vecteurs, de fonctions ou d'infini, qui nous sont familiers, sont complètement étrangers aux mathématiciens grecs. L'art de la forme se retrouve dans la statuaire, un des savoir-faire majeurs de la Grèce antique. L'univers euclidien de la géométrie plane resplendit dans les fresques de Phidias ; toute la scène est au même niveau, il n'y a aucun arrière-plan. Une toile de Rembrandt, de Rubens ou de Goya dégage toujours une impression de tension. D'ailleurs, il est commun aujourd'hui de dire qu'un bon artiste possède une *puissance* d'évocation. Cette *puissance* est incompréhensible pour l'artiste grec classique qui ne recherche que les qualités de la forme : harmonie, élégance. Les visages, y compris celui du discobole de Myron en plein effort, sont lisses, neutres, inexpressifs. Ils sont même interchangeables, ce qui rend pratiquement impossible l'identification des statues grecques par les seuls traits du visage. La religion et la philosophie grecques vivent, elles aussi, dans cet univers. Les dieux ne sont pas des puissances, encore moins des *toutes-puissances* ; ce sont des éléments fondamentaux et des formes idéales. La philosophie grecque n'a aucun goût pour la tension, ni pour l'infini. Quelles que soient la voie qu'ils choisissent, ils se reconnaissent un même but : l'ataraxie, la tranquillité du corps et de l'esprit. Comment ne pas voir dans tous ces aspects de l'ancienne identité grecque une cohérence, une relation, une logique ? Le raisonnement mathématique n'est pas adapté pour aborder cette totalité, les objets à relier étant de natures différentes. Reste le raisonnement par analogie.

Il ne faudrait pas confondre le raisonnement par analogie, qui permet d'établir un lien entre des objets ou des phénomènes de natures différentes, avec la simple comparaison des apparences. On a pu ainsi comparer Jésus et Bouddha, Napoléon et César, la démocratie athénienne et les démocraties modernes. Toutes ces similitudes sont superficielles, sans rigueur. Elles ne résultent pas d'un raisonnement, mais d'une impression plus ou moins précise. De telles comparaisons aboutissent parfois à des bizarreries. Parmi celles-ci figure le culte de Brutus dans les clubs jacobins pendant la Révolution française. Le meurtrier de César était un riche aventurier et il fut le bras, non du peuple romain, mais de l'oligarchie. Brutus assassina César, non pas parce que ce dernier était un tyran, mais parce que ses réformes rognaient les privilèges des sénateurs.

Alors que la comparaison relève les ressemblances, sans se soucier de ce qu'elles signifient, le raisonnement analogique vise à découvrir la parenté de structure, dans des manifestations de natures différentes. Le raisonnement par analogie ne permet pas seulement de relier les différents aspects d'une culture. Il permet aussi de relier des époques, des faits analogues mais plongés dans des histoires différentes. Nous allons prendre un exemple ; c'est la comparaison, souvent établie, entre trois grands conquérants : Alexandre le Grand, César et Napoléon.

Un minimum d'attention nous est nécessaire pour distinguer ce qui est profond de ce qui est superficiel. Et c'est ainsi que nous pouvons séparer Alexandre et Napoléon d'une part, César d'autre part. Alexandre et Napoléon ont tous deux fondés des empires immenses qui se sont effondrés avec eux. Ils ont tous les deux tentés de construire une puissance politique, ainsi qu'une aristocratie, dont ils voulurent être le sommet. Ils firent preuve tous les deux d'un génie militaire hors du commun et furent plus des généraux que des hommes d'État. Ce qui donne leurs significations historiques à Alexandre et à Napoléon est plus profond que leurs ambitions ou leurs qualités propres. Tous deux interviennent sur la scène historique après la période classique de leurs cultures respectives. Le *siècle de Périclès* est la période classique de la Grèce ; le *siècle de Louis XIV* figure cette période pour la France. Un intervalle de 106 ans sépare la mort de Périclès et celle d'Alexandre, un même intervalle de 106 ans sépare la mort de Louis XIV de celle de Napoléon.

Aux sculpteurs classiques Phidias, Myron, Polyclète, succédèrent Praxitèle, Scopas, Lysippe. Les œuvres de ces derniers sont plus sensuelles, plus raffinées. On y ressent moins la sérénité, l'inspiration quasi-divine des classiques. En France, à Corneille, Racine, La Bruyère, succèdent les artistes romantiques de l'époque napoléonienne. Ces derniers produisent des œuvres plus sensuelles et plus tourmentées que les classiques, mais aussi plus fouillées, plus laborieuses. A Socrate et son élève Platon, derniers philosophes classiques idéalistes, succède Aristote à l'époque d'Alexandre. Aristote est à la fois un scientifique et un philosophe matérialiste. Les penseurs classiques français, Blaise Pascal, Bossuet, Descartes, ont tourné leurs pensées vers l'Idée ; ceux du XIXe siècle les tournent résolument vers l'existant. Alexandre et Napoléon sont, pourrait-on dire, *contemporains*. Mais ils ont encore d'autres points communs. Ils sont tous les deux des « provinciaux ». Alexandre est macédonien, un demi-barbare aux yeux des Athéniens. Napoléon est Corse et son père fut un des lieutenants de Pascal Paoli, le meneur du soulèvement national corse au XVIIIe siècle. Tous les deux veulent ressusciter des fastes anciens que ni eux, ni leurs ancêtres n'ont connus. Venant d'un territoire qui n'en a jamais connu les réalités, ils rêvent de fonder une dynastie.

Les conquêtes de César se situent à une période toute différente. Rome a connu l'invasion gauloise, la menace carthaginoise, la lutte contre les Grecs. La guerre sociale entre les nobles, les *optimates*, et les plébéiens, les *populares*, connaît une accalmie. Rome peut enfin envisager de se développer sans entraves. La période classique de Rome, qui vit éclore des hommes tels que Virgile, Ovide, Tite-Live, n'adviendra qu'un siècle plus tard. César n'a en aucune façon la même signification qu'Alexandre ou Napoléon. C'est un aristocrate mais il aspire à un rôle de meneur charismatique et populaire. Il restera toujours l'homme des *populares*, attentif aux difficultés de son peuple. C'est un conquérant mais il n'a aucune nostalgie pour le passé romain ; il est imprégné de culture grecque. Ce qu'il désire, c'est d'abord construire, et non ressusciter quelque chose. Il est analogue aux condottieres de la Renaissance ou aux rois français du XVIe siècle. Il est *contemporain* d'Henri IV. Les assassins de l'un et de l'autre, Brutus et Ravaillac, sont animés des mêmes passions réactionnaires.

## L'ÉMERGENCE DES CULTURES

La première période historique d'une communauté culturelle est celle de la différenciation et de l'éveil. Comme toute phase d'éveil, elle est dominée, non par la réflexion, mais par la sensation. Sensation brute, immédiate, instinctive. En Grèce, au début du deuxième millénaire avant Jésus-Christ, les robustes paysans et navigateurs mycéniens prennent conscience de leur existence collective. En jetant un regard autour d'eux, ils aperçoivent les fastes et les raffinements de la Crète minoenne. Ils s'exercent maladroitement à les imiter. Mais leurs châteaux et leurs bastions portent les marques de la force musculaire, alors que la cité crétoise porte les marques de l'esprit. Les délicats et raffinés citadins de Cnossos devaient ressentir, face à ces barbares mal dégrossis, un mélange de dédain et de crainte sourde. Les mêmes rapports devaient exister entre les hordes germaniques et les citoyens du Bas-empire romain ; et aussi il y a 4000 ans, dans la péninsule indienne, entre les nomades aryens et les commerçants prospères des cités d'Harappa ou de Mohenjo-Daro.

C'est la période des grands mythes, celui de Gilgamesh, d'Abraham, de la Guerre de Troie, du roi Arthur, de Siegfried. Pour la nation turque, c'est la période turcomane primitive, vers le VIIIe siècle. Le livre de Dede Korkut rassemble les mythes et les récits de cette période archaïque. Les savants se sont demandé si, oui ou non, le livre de Dede Korkut était inspiré d'Homère et des anciennes légendes grecques. De même, dans les mythes caucasiens des Ossètes, le héros Soslan ressemble comme un frère à Achille. Il a été rendu invulnérable sauf par les genoux, tout comme le héros grec n'est vulnérable que par le talon.

D'autres mythes analogues apparaissent lors de l'émergence de communautés culturelles différentes. Le mythe burgonde de Siegfried dans l'épopée des Nibelungen est analogue au personnage de Sigurd dans la Völsunga Saga norvégienne. Le récit homérique d'Ulysse et du Cyclope est analogue au récit turcoman de Basat et du Géant-à-un-seul-œil. Bien des ressemblances peuvent être trouvées entre les mythes et les divinités de nations différentes.

Plutôt que de raisonner en termes d'imitations, raisonnons à la manière de Spengler. Si les anciennes épopées des Turcomans ou des Ossètes ressemblent aux récits d'Homère et non aux écrits grecs plus tardifs, c'est sans doute parce qu'ils sont *« contemporains »*. Les poètes épiques vivent à la même période de leurs histoires nationales respectives. Ils en décrivent l'éveil, qui est aussi le temps des héros. C'est alors que les hommes ressentent profondément – sans y faire intervenir la réflexion ou la pensée critique – la force chez un guerrier, l'exception chez un chef, l'inspiration chez un prophète. Cette période primitive est une période d'optimisme. Les passions et les instincts s'y donnent libre cours, sans état d'âme ni arrière-pensée. L'homme s'épanouit dans l'action, loin de tout critère moral ou intellectuel. Achille le Grec et Cu-Chulainn l'Irlandais répondent de la même manière à la même question : plutôt une vie courte et émaillée d'exploits extraordinaires qu'une vie longue et banale !

L'émergence d'une culture est sensation et communion avec l'environnement extérieur. L'homme de la sensation vit au milieu des arbres et des animaux. Les Fiannas, défenseurs légendaires de l'Irlande primitive, résident pendant la moitié de l'année dans les forêts et le long des côtes sauvages. Merlin vit le plus clair de son temps dans les forêts, ainsi que les chevaliers de la Table Ronde. Les héros des anciennes sagas des vikings sont à la fois des paysans et des marins. Enkidu, Ulysse, Siegfried sont des vagabonds armés qui errent, non dans les grandes cités, mais dans les forêts ou sur la mer.

L'archéologie de cette période révèle des fortifications et des mausolées, aux dimensions parfois impressionnantes : pyramides égyptiennes, murailles cyclopéennes de Mycènes, Porte du Soleil à Tihuanaco. Dans les monuments funéraires, l'élitisme est de rigueur et seuls quelques rares personnages jouissent du privilège d'y être inhumés. L'étude de cette période d'éveil est toujours décevante pour l'homme des périodes tardives, devenu étranger à cette suprématie de la sensation. Par des thèses qui démontrent que le Roi Arthur, Ulysse ou Gilgamesh n'ont pas existé, ou n'ont pas réalisé tous les exploits dont ils sont crédités, il a pensé détruire les mythes. Mais les mythes ne peuvent être détruits. Ils peuvent seulement être rejetés, ou noyés dans l'inconscient. Ils peuvent être écartés, tout comme on écarte la sensation au nom de l'intelligence. L'homme des périodes tardives ne cherche pas à ressentir ce qu'il a démontré. A l'inverse, l'homme des cultures émergentes ne cherche pas à démontrer ce qu'il ressent.

Il ne faudrait pas imaginer pour autant que les hommes de la sensation soient des individus naïfs ou excessivement crédules. Il est inexact de dire qu'ils *croient* aux divinités ou aux exploits des héros, à la façon dont les hommes plus tardifs croient aux vertus *citoyennes*, aux statistiques ou aux paroles des experts. Ils les comprennent, ils les ressentent, et cette compréhension procèdent parfois d'une rigueur que pourrait envier le citadin rationaliste. Dans la préface du Barzaz Breiz, Hersart de la Villemarqué rapporte que, lorsqu'un paysan breton veut louer une œuvre, il ne dit pas : *« c'est beau »*. Il dit : *« c'est vrai »*.

La période de la sensation se clôt par la mise en forme des récits mythologiques. La communauté culturelle s'individualise après le bouillonnement initial. De la même façon, chez les oiseaux ou les poissons, les parades nuptiales précèdent l'apparition d'une communauté de reproduction.

D'un point de vue linguistique, la première phase est celle de la différenciation, c'est à dire des « parlers ». L'égyptien ancien est une langue africaine sémitisée. L'Égypte, ouverte de partout aux émigrants, a accueilli dans sa langue des éléments environnants. Toutefois, l'étude de la genèse d'une langue aussi ancienne à travers des documents est difficile, car les documents sont rares. Un peu de perspicacité nous permet de découvrir autour de nous des processus analogues de différenciation linguistique : ce sont les pidgins et les créoles, dont nous avons déjà parlé. Le linguiste Claude Hagège[41] voit dans ces processus trois tendances fondamentales : ces langues sont économiques, analytiques et motivées. La tendance à l'économie se manifeste par le nombre réduit de sons ou de temps verbaux, ainsi que dans l'invariabilité des formes. Le parler *« petit-nègre »* tel qu'il est compris et brocardé par les civilisés, substitue l'infinitif à toutes les autres formes verbales (« moi avoir ») et le pronom personnel à toutes les formes possessives (« donne à moi », « moi vouloir », « le chapeau de moi »). La tendance analytique se manifeste dans la décomposition du mouvement ou de l'idée en une succession de mots juxtaposés, créant ainsi une image kaléidoscopique. Le créole haïtien exprime l'idée « il m'a cueilli une noix de coco » par une succession « sortir-arriver-cueillir-venir-donner-moi ». L'Égyptien des pyramides s'exprime de façon analogue, par des petites phrases juxtaposées. La motivation se manifeste par un nombre élevé de combinaisons d'un radical, ou de paraphrases descriptives, ce qui permet de réduire le nombre de mots utilisés. C'est encore le cas de l'égyptien ancien, pour qui le courageux est fort de bras, l'obstiné ferme de jambes. On pense aux parlers des enfants, mais aussi aux parlers populaires qui coexistent avec la langue académique. Tendance à l'économie dans l'invariabilité des formes, qui s'expriment parfois seulement par l'intonation (« Tu es prêt ? », « Tu fais quoi ? ») ; tendance analytique dans le langage imagé et tendance à la motivation dans l'emploi de comparatifs au lieu de mots nouveaux (bon/pas bon, au lieu de bon/mauvais, mauvais/plus mauvais, au lieu de mauvais/pire). Les créoles, qu'aucun colonisateur n'a enseigné aux colonisés, portent, malgré le mépris dont ils sont l'objet, la promesse de nouvelles communautés culturelles.

Aujourd'hui, des cultures en formation coexistent avec les impératifs niveleurs de la modernité. De nouvelles mythologies s'élaborent aux franges du monde civilisé. La communion avec l'environnement extérieur n'est plus forcément une communion avec la nature vierge. Elle reste cependant fondée sur la sensation brute, immédiate. Pour les nouveaux barbares, la ville n'est pas un monde codifié, mais un monde naturel. La gestation de nouvelles communautés culturelles aux marges des cités mérite d'être étudiée, mais un tel approfondissement sort du cadre que nous nous sommes fixés.

## LE « MOYEN ÂGE »

Le passage de la première à la deuxième phase d'une culture est progressif et naturel. C'est le passage de la nature sauvage à la nature domptée, de la sensation brute à la sensation disciplinée. Les intuitions, les émotions, les mouvements de la première phase se mettent lentement en forme et se chargent de significations.

L'admiration pour les héros cède la place au culte des héros. La sensation écrasante des mystères de la nature s'ordonne désormais en des célébrations. L'homme de la deuxième phase vénère ce qui émerveillait l'homme de la première phase. Le saint et le sorcier se retirent en marge de la communauté et deviennent ermites. Ils laissent place au moine et au théologien. Le héros guerrier laisse place au noble, grand seigneur ou croisé. La communauté se structure. Géographiquement, la vie culturelle passe du grand air de la campagne ou de la forêt au bruissement laborieux des châteaux et des premières agglomérations.

En Égypte, c'est la période qui va de la VIe à la XIXe dynastie. La fin de la Ve dynastie est marquée par l'apparition des textes des pyramides, premiers récapitulatifs de l'époque héroïque. Le calendrier agricole, rythmé par les crues du Nil, cède la place au calendrier solaire. Les divinités et les héros égyptiens, jusque-là isolés, se rassemblent en familles. Des histoires divines et des théologies s'élaborent ainsi peu à peu. L'élaboration religieuse va de pair avec la structuration culturelle. Les relations qui s'établissent entre les *nomes*, régions de l'ancienne Égypte, aboutissent à des apparentements, des amitiés ou des conflits entre les dieux respectifs. Dans la région d'Éléphantine, Khnoum était le seigneur de la grande île tandis que les déesses Sothis et Anoukis régnaient sur deux îles voisines. Khnoum adopte la première pour femme et la deuxième devient sa fille. Un peu partout, les cultes d'Horus et de Seth étaient voisins. Ils ne tardent pas à s'opposer, revendiquant, l'un et l'autre l'héritage entier d'Osiris. Ce dernier absorbe la personnalité de dieux ou de héros primitifs, comme Andjety dans le delta ou Khentamentiou à Abydos. Les pharaons rabaissent leurs prétentions. Ils ne sont plus que les enfants ou les serviteurs d'une divinité. Khéops, le constructeur de la grande pyramide, vénéré comme un dieu par ses contemporains, est taxé d'impiété par les nouvelles générations. A la place de monuments érigés pour leur seule gloire, les pharaons édifient maintenant des enceintes sacrées et des temples. Le Labyrinthe, ouvrage typique du Moyen-empire, dépassait les pyramides aux yeux des Grecs.

Le premier livre de la Bible, la Genèse, relate la phase primitive de l'histoire d'Israël. C'est la phase du mythe et aussi la phase des nomades, d'Abraham à Jacob et Joseph. Les quatre autres livres du Pentateuque, que la tradition juive appelle *La Loi*, correspondent à une nouvelle phase. Le livre de l'Exode relate la sortie d'Israël hors d'Égypte sous la direction de Moïse. Les Hébreux n'y sont nomades que par obligation. Ils ne constituent pas une horde mais un peuple structuré. La tribu de Juda se spécialise dans les nécessités guerrières, celle de Lévi dans les tâches sacerdotales. Le Lévitique édicte les prescriptions religieuses et morales. Il fixe la liturgie. Le Livre des Nombres précise la structure d'Israël, les dogmes religieux et les prescriptions rituelles. Le Deutéronome est un rappel de la Loi et un ensemble d'exhortations avant l'entrée des Hébreux dans Canaan, c'est à dire à l'aube d'une nouvelle étape pour la nation.

Après la période mycénienne et la guerre de Troie, les épopées homériques annoncent la mise en forme de l'identité grecque. Hésiode rationalise le panthéon olympien. Les cultes apparaissent : culte populaire et paysan de Demeter, culte guerrier de Dionysos, célébration des Jeux Olympiques. La vie politique se structure autour d'une aristocratie dynamique qui étouffe progressivement la royauté primitive. Les législateurs tel Dracon instaurent des lois et posent les fondements de l'État grec.

La deuxième phase des nations européennes correspond au *Moyen-Âge*, terme tout à fait approprié pour désigner la période qui suit l'enfance et annonce la maturité. Les sociétés féodales se structurent en Ordres. Une aristocratie et un clergé se différencient désormais des communautés paysannes et des communautés nomades. Dans la campagne apparaissent des agglomérations organisées. Autour de l'église ou du monastère s'agglutinent les maisons de quelques paysans, des artisans, des premiers marchands. Le château, qui n'est au départ qu'une *motte*, un grand tas de terre, surplombe et protège l'ensemble.

C'est la période de l'amour courtois et de l'esprit chevaleresque. Les instincts sexuels ou agressifs constituent toujours le fond du comportement, mais ils sont maîtrisés et transfigurés. Les mythes arthuriens deviennent des récits édifiants. Des personnages inconnus ou inconsistants dans les versions primitives, comme Viviane ou Galaad, prennent une ampleur étonnante. L'une symbolise l'Amour, l'autre la Pureté, deux valeurs étrangères à l'homme de la sensation, mais capitales pour l'homme de la deuxième phase. Dans la tradition indienne se succèdent le Rig-Veda, récit épique de la première phase, et le Mahâbhârata, récit édifiant de la deuxième phase.

C'est la période du dogme, de l'honneur et de la fidélité. Pour l'homme de la deuxième phase, le souverain bien n'est plus l'énergie vitale, mais l'âme immortelle. Il répugne à la frivolité et devient facilement morose. Le sage égyptien Ipouer, qui vécut sous la VIe dynastie, compare le chaos d'aujourd'hui à l'âge d'or d'autrefois, lorsque Râ gouvernait la terre. À partir de la XIe dynastie, les inscriptions des tombeaux parlent de la vanité des choses humaines. En Grèce, Hésiode se lamente sur le lent déclin de l'humanité, de l'âge d'or à l'âge de fer. Comme en écho, les brahmanes annoncent le Kaliyuga, période de décadence morale. Les prêtres et les moines chrétiens du Moyen-Âge prêchent le renoncement à un monde illusoire et laid. Le réconfort ne peut être trouvé que dans la prière, l'observance de la discipline, le contact avec les grandes âmes.

L'homme de la deuxième phase définit sa communauté par une unité spirituelle. Cette unité est sous la responsabilité du souverain, dont le rôle n'est pas d'administrer, mais de régner, c'est-à-dire de relier. Par son orgueil et la faute de sa femme Guenièvre, le Roi Arthur casse le lien mystique avec son peuple. Il condamne son pays à la misère et à la défaite, que seule la conquête du Graal pourra enrayer. Avant lui, les pharaons égyptiens du Moyen-empire ont joué ce rôle d'intercesseur, ainsi que les souverains chinois de l'Empire du Milieu entre le Xe et le VIe siècle avant Jésus Christ. Leurs manquements influent sur toute la nation et bouleversent l'ordre naturel.

La communauté se féodalise ou se fédéralise. Il est inutile d'insister sur le Moyen-Âge européen. On connaît le mouvement qui affecta la France, l'Angleterre, l'Allemagne, l'Italie. L'empire de Charlemagne éclate. Il se crée une pléiade de souverainetés dont les seigneurs n'étaient liés au roi que par des serments d'allégeance ou de simple reconnaissance. On sait peut-être moins que ce mouvement affecta aussi l'église chrétienne. Le collège des cardinaux constituait une puissante oligarchie. Au XIIIe siècle, après le règne d'Innocent III, la propriété foncière de l'Église était devenue le fief héréditaire des évêques et des archevêques. Jusqu'au XVe siècle, les conciles tentèrent de limiter l'autorité papale et de transformer l'Église en une sorte de confédération féodale.

En Égypte, près de quarante siècles plus tôt, les successeurs des grands pharaons constructeurs de pyramides perdent leur pouvoir devant les seigneurs et les chefs religieux qui, à Thèbes, Memphis, Byblos ou Avaris, s'approprient des fiefs qu'ils gouvernent à leur guise. Dans la Chine ancienne, après la période primitive des Shang, la dynastie des Zhou perd peu à peu son autorité face aux grands seigneurs. Pendant la « Période des Printemps et Automnes », entre le VIIIe et le Ve siècle avant notre ère, la Chine se féodalise. En Grèce, du Xe au VIe siècle avant notre ère, Athènes est gouvernée par les aristocrates Eupatrides tandis que le roi de Sparte est contrôlé par une oligarchie, les Éphores, qui peuvent le révoquer à tout moment.

De façon quasi-systématique, la deuxième phase, période de l'âme, se clôt par un mouvement puritain qui fait chavirer le dogme dans la vie publique, ce qui le rend à la fois accessible et contraignant pour tous. La première phase s'était close en disciplinant la sensation. La suivante se clôt en spiritualisant la discipline. En Égypte, c'est la tentative du pharaon Akhénaton de remplacer l'ancien culte d'Amon par le culte du dieu solaire Aton. Akhénaton, le pharaon « ivre de dieu » engagea l'Égypte dans une révolution monothéiste qui ne fut pas seulement religieuse, mais esthétique et sociale. Les statues perdent leur pose rigide. Dieu s'adresse au peuple. Le pharaon abandonne son attitude lointaine et hiératique. La menace contre l'ordre ancien était trop précise, et Akhénaton sans doute trop maladroit. Son successeur, Toutankhaton, sera obligé d'abjurer l'hérésie et même de changer son nom en celui de Toutankhamon.

En Inde, malgré l'incertitude des chronologies, il est pratiquement certain que le puritanisme doit être associé au développement du Yoga. A la religion brahmanique se superpose une discipline qui transgresse les barrières de castes et offre à tous, au prix d'un effort sur le corps, l'accès à la connaissance et au contact divin. Les premiers philosophes indiens, le Mahavira et le Bouddha, sont issus de cette insurrection de la discipline contre la seule sensation du divin. Au même moment en Perse, la réforme de Zoroastre épure l'ancienne religion iranienne. Elle impose la notion de choix moral. Le bien et le mal deviennent accessibles à la conscience individuelle.

Au Japon, le XIIIe siècle voit l'éclosion de mouvements religieux que l'on peut qualifier de « protestants ». La *Secte de la Terre Pure* annonce un salut accessible à tous et s'oppose à l'aristocratie ainsi qu'aux ordres monastiques qui y était inféodés. La secte traduit en japonais les textes bouddhiques rédigés en chinois classique, langue inaccessible aux couches populaires. Les groupes de fidèles s'étoffent et forment de puissantes congrégations laïques. Tout comme Luther eut son Calvin, la *Secte de la Terre Pure* vit se développer à ses côtés des mouvements plus austères et plus rigides, telle la secte *Nichiren* qui fut une église combattante.

Akhénaton, Zoroastre, Luther et tous leurs *contemporains* sont les grands promoteurs de la responsabilité individuelle. Ils forgent une conception de la liberté que leurs prédécesseurs n'avaient pas imaginée, et encore moins désirée. Il serait possible de les nommer des *pré-philosophes*. Jusque-là, le sentiment religieux était construit autour de la sensation de la divinité. Cette sensation, privilège d'un petit nombre, pourrait s'appeler *la grâce* pour utiliser une terminologie chrétienne. A la foule des autres restait *la piété*, c'est à dire l'effort vers la grâce. Le règne de l'Âme se clôt par un mouvement puritain qui annonce le règne de l'Esprit. La religion ne s'effondre pas, loin s'en faut. Elle se transforme. L'aristocratie décline, tandis que le peuple prend conscience de son existence et de ses responsabilités.

## LA PÉRIODE CLASSIQUE

La troisième phase est perçue le plus souvent comme la période *classique*. La façon dont ce classicisme se manifeste et est saisi de l'extérieur permet, plus que toute chose, de discerner la véritable nature des identités collectives. Le classicisme grec est plastique, le classicisme latin législatif. Plus proche de nous, le classicisme français est théâtral. Il s’exprime pleinement dans les œuvres de Molière, Corneille, Racine. Le classicisme japonais s’épanouit dans l’œuvre graphique. Chaque culture s'épanouit dans un art qui lui convient et cette relation entre un art et une nation devient un cliché commode : la statue grecque, le droit romain, le théâtre français, l'estampe japonaise. Le cliché contient une vérité dont la richesse et la valeur symbolique dépassent de loin la banalité de l'expression.

Parfois les marques de ces arts ne nous sont parvenues qu'imparfaitement, comme le souvenir des fêtes italiennes de la Renaissance, ou l'art de la parole et la littérature orale de l'Inde aryenne. Mais la pauvreté des reliques ne nous empêche pas de calculer quel fût le sommet de cet art, comme on calcule l'apogée d'un astre. Quelle que soit l'expression classique d'une culture, la troisième phase est la période de l'esprit. Après l'ère de l'âme, la communauté culturelle aborde une nouvelle étape, qui est le temps des idées. S'arrachant à l'emprise du dogme, dégagé des dettes ou des tares des ancêtres par la révolution puritaine, assumant des responsabilités individuelles, l'homme découvre avec émerveillement la logique, la raison, les lois de la nature. L'affirmation *« Je pense donc je suis »* remplace le *« Je ressens et je suis »* des premiers âges et le *« Dieu m'a pensé, donc je suis »* de la seconde étape.

Un monde s'ouvre à l'homme de la troisième phase, un monde à comprendre et à conquérir. Le moine théologien cède la place au savant et au philosophe. Une certaine griserie devant les potentialités de la raison humaine s'empare des penseurs. En Chine, Lao-Tseu promet la lumière et la vérité à ceux qui suivent la voie *yin-yang*. En Grèce, c'est l'optimisme téléologique d'Aristote qui n'imagine l'évolution des choses que comme une progression du moins vers le plus, de l'imparfait vers le parfait. Dans les nations occidentales, c'est l'Anglais Francis Bacon et les encyclopédistes français, qui considèrent tout progrès des connaissances humaines comme un pas en avant vers le bonheur et la perfection.

Le grand seigneur de l'époque précédente cède la place au grand capitaine, conquérant et meneur charismatique. Même si l'équipage viking de Leif Eriksson a débarqué dans l'actuel Canada vers l'an 1000, même si les pêcheurs basques et bretons relâchaient à Terre-Neuve dès le XIe siècle et y faisaient sécher la morue, c'est Christophe Colomb qui est le découvreur officiel de l'Amérique. C'est lui qui, le premier, aborda le nouveau monde avec l'esprit de conquête et considéra sa découverte comme un progrès humain, non plus comme une aventure privée. Christophe Colomb est un homme de la Renaissance, contemporain de Laurent le Magnifique, César Borgia, Léonard de Vinci et Michel-Ange. Il ne trouve compréhension ni en Angleterre ni en France, encore dans la seconde phase de leur histoire. Dans l'Espagne puritaine d'Isabelle la Catholique s'introduisait alors, avec la guerre populaire de *Reconquista*, tous les caractères de la nouvelle phase historique.

Aux côtés du grand capitaine ou du roi émerge une nouvelle conception de la noblesse. L'aristocrate batailleur est progressivement remplacé par l'administrateur habile. Une élite de fonctionnaires héréditaires encadre le domaine public.

Les principes politiques et moraux de l'homme de la deuxième phase reposaient sur l'honneur et la fidélité, valeurs communautaires. Ceux de l'homme de la troisième phase reposent sur l'honnêteté, valeur sociale. Aux anciens ordres déjà ébranlés par la révolution puritaine se substituent lentement de nouvelles catégories sociales et de nouvelles catégories philosophiques. Les confucéens chinois font évoluer les vieux concepts du « Shi », de la noblesse vers la vertu. Le terme « Pi-Yung » ne désigne plus la lice des tournois chevaleresques, mais l'école des disputes spirituelles.

L'évolution ébranle toute la société. Non seulement les anciennes classes sociales, mais aussi les castes et les corporations professionnelles en subissent le contrecoup. Une nouvelle référence politique émerge, qui remplace le tissu serré des anciennes fidélités. Le pouvoir politique et le pouvoir administratif développent une structure dans laquelle tous deux trouvent profit : l'État. En Grèce, les aristocrates de l'Aréopage sont peu à peu dépossédés de leur pouvoir par les tyrans populaires et les chefs politiques qui, comme Périclès, assument une fonction monarchique. À Rome, l'ascension de la plèbe culmine à la fin du IIe siècle et au début du Ier siècle avant J.C. La république connaît alors la guerre sociale et l'arrivée au pouvoir suprême d'un représentant des *populares*, Marius. Au Japon, après la période féodale qui dure du VIIIe au XIVe siècle, l'administration s'unifie progressivement. L'influence chinoise décroît fortement. Les marchands, en particulier ceux d'Osaka, prennent de plus en plus d'importance dans la vie publique. Les shoguns jettent les bases d'un État national. Le mouvement est analogue en Europe : c'est la période des Habsbourg en Allemagne, de la monarchie constitutionnelle en Angleterre, de la monarchie absolue puis de la Première république en France.

On ne cherche plus à être fidèle mais à *avoir raison*. C'est l'âge d'or des tentatives démocratiques, entre le gouvernement des *bien-nés* lors de la deuxième phase et celui des *bien-pensants* qui viendra plus tard.

Cette troisième phase se clôt par un mouvement que l'on peut qualifier de *romantique*. Dans le domaine artistique, le grand style perd de sa limpidité et de sa clarté un peu froide. Il s'embrume, s'agite, s'irise de mille nuances. L'artiste dédaigne peu ou prou l'œuvre spirituelle pour se consacrer au pittoresque, au mouvement, à la scène de genre. On s'attendrit sur l'enfant et l'orphelin. Le visage buriné du paysan ou du marin éveille des attraits nouveaux. Fleurissent l'idylle, l'hymne à la nature et la *petite épopée*.

Après Ramsès II apparaît dans la littérature égyptienne le genre romanesque, illustré par le récit des aventures d'Ounamon. Le *Conte des Deux Frères* brosse un tableau lyrique de la campagne égyptienne, tandis que se développent dans d'autres œuvres des thèmes inconnus jusque-là : hymnes à la beauté féminine, jeux et nuances de l'amour qui s'éveille et oscille entre l'exaltation et l'inquiétude. Dans le domaine politique et militaire, le pharaon Sheshonq 1er est indiscutablement le Napoléon de l'Égypte, alors que Ramsès II en était le Louis XIV. Comme Napoléon, c'est un provincial. Il n'est pas corse mais libyen. Grand conquérant, il s'oppose au roi Salomon. Il s'empare de la Palestine et de Jérusalem sous Jéroboam.

En Israël, le romantisme ne deviendra populaire que plus tard. Après la puissance spirituelle des Juges, après le drame classique de David, les prophètes apportent la véhémence, la turbulence des sentiments. D'Élie à Jérémie et Ézéchiel, la fureur remplace la puissance, la vision remplace l'inspiration. Élie tonne, Isaïe menace, Jérémie se lamente. C'est la longue période des royaumes divisés, de la domination assyrienne, de l'exil à Babylone. Un cynique conclurait : quoi de plus romantique ?

En Inde, après la longue période classique qui avait commencé au Ve siècle avant Jésus Christ, un homme émerge du chaos laissé par le passage des Scythes au IVe siècle de notre ère. Il prend le nom de Chandragupta, sans doute par imitation du grand souverain du IVe siècle avant J.C, Chandragupta Maurya. Son fils, Kumâragupta est un grand administrateur. La nation indienne est déjà dans sa période romantique. Chez Kâlidâsa et surtout chez ses successeurs, la poésie devient lyrique. Elle se charge de figures de style et d'acrobaties grammaticales ou phonétiques. Dandin (VIIe-VIIIe siècle) est le plus célèbre romancier indien et il est aussi, comme Victor Hugo, théoricien de la littérature et de la poésie. Dans le domaine des arts plastiques, à la facture classique de Mathurâ et d'Ajantâ succède l'art d'Ellorâ, plus puissant que gracieux, surchargé et tendant facilement à la démesure.

Les caractères du romantisme apparaissent au Japon au XVIIe siècle. Le Napoléon japonais est le grand shogun Tokugawa Ieyasu. Moins tenté par les conquêtes extérieures que ses homologues, plein de dédain pour les barbares étrangers, il veut faire du Japon un univers. Il le coupe du monde extérieur, ou plutôt, de son point de vue, il coupe le monde extérieur du Japon. Une telle prétention est moins voyante, mais encore plus démesurée que celle de Napoléon ou d'Alexandre. Elle fut aussi moins éphémère. C'est à cette époque qu'apparaît le baroque japonais. Les estampes s'imprègnent de sensualité, ainsi que le théâtre et la poésie. L'art du jardin renonce à la miniaturisation. Les paravents et les panneaux décoratifs se surchargent d'ornementation et de fioritures. Les boursouflures et les rutilances architecturales de l'époque Tokugawa témoignent du chemin parcouru depuis la spiritualité dépouillée qui émanait des statues bouddhiques des époques précédentes.

La troisième phase est celle des proclamations vertueuses et des tentatives démocratiques. Déjà, sous les premiers Tokugawa, les préceptes vertueux de Confucius, le grand penseur classique chinois, deviennent l'idéologie officielle. Mais le plus surprenant est que l'évolution politique, bloquée pendant deux siècles et demi, ne saute pas l'étape de la tentative démocratique. L'ère de Meiji qui débute en 1868 est inaugurée par une révolution étonnamment économe en vies humaines. Les anciens ordres, daimyos et samouraïs, disparaissent ; les intellectuels, anciens privilégiés et anciens roturiers confondus, accèdent au pouvoir. Déjà percent les caractères de la quatrième phase. Sous les hommes d'idées se profilent les hommes de savoir et les hommes de partis.

## LE TEMPS DES INDIVIDUS CIVILISÉS

Tout comme un équilibre s'établit pour l'espèce animale qui s'est adaptée à un milieu stable, le cours de l'histoire se ralentit pour les nations parvenues à maturité. Cet équilibre, que les hommes de la quatrième phase idéalisent sous le nom de *Civilisation*, est l'océan dans lequel se déverse les cultures. Le bas-empire égyptien, la période hellénistique de la Grèce, la culture gauloise, le bas-empire romain se rejoignent dans ce qu'il est convenu d'appeler la civilisation antique. Les nations actuelles *développées*, nations occidentales et Japon notamment, si différentes qu'elles aient été, se retrouvent dans le cadre de la civilisation moderne. *Antiquité* et *Modernité* sont de grands ensembles qui impressionnent par leur étendue et leur puissance, mais qui, malgré des apparences de bouillonnement, n'évoluent plus.

La ville était le lieu d'expression de la nation dans sa période classique. En évoluant, la ville perd sa texture originale et devient une cité cosmopolite et anonyme, réceptacle non plus d'un peuple mais d'une population. Alors que les installations humaines de la première phase sont dictées par les liens de l'homme avec son environnement – richesse du sol, abondance de gibier, défenses naturelles – celles de la quatrième phase sont dictées par des impératifs d'échanges. Des cités destinées au seul négoce apparaissent. L'annexion des terres devient superflue, car seul le comptoir et le bureau suffisent à la satisfaction de l'homme. Ainsi prospèrent Byblos, Massalia, Alexandrie ou Hong-Kong.

Les anciennes villes nationales sont réaménagées. Leur développement devient géométrique, avec une avenue principale aboutissant au lieu ou au symbole du pouvoir. Ce plan est typique des cités de la quatrième phase, et d'elles seules. Les Japonais du

VIIIe siècle essayèrent en vain de transposer à Nara et à Heian-Kyō les principes de l'urbanisme géométrique de la cité chinoise de Chang'an, l'actuelle Xi'an. Les bâtisseurs japonais purent certes imiter leurs homologues chinois. Mais la nation japonaise, encore dans sa jeunesse, ne put adopter les comportements ni la mentalité des chinois qui, depuis plusieurs siècles déjà, étaient entrés dans leur quatrième phase. La ville de Nara fut abandonnée quelques années après sa construction. Heian-Kyō, résidence impériale, dut attendre le XIXe siècle pour que s'animent ses plans géométriques et que prolifère autour d'elle la cité de Kyōto. L'expérience s'est répétée avec les constructions de Saint-Pétersbourg, Brasilia, Chandīgarh ; mêmes échecs, même rejet, même décalage entre une ville géométrique et une nation trop jeune. Ceci prouve bien que le plan géométrique urbain correspond, non pas à une nation particulière, mais à une phase particulière dans l'histoire des nations. Après le séisme du 1er septembre 1923, la ville de Tokyo fut reconstruite en damier, comme l'avaient été avant elle Paris, Londres ou Berlin. Ainsi était entériné dans le paysage l'évolution de la nation.

La ville nationale était le temple de l'esprit. La grande cité cosmopolite est le temple de l'intelligence et de la liberté. Elle consacre l'individu. Tous les liens qui pouvaient encore le rattacher à son environnement se distendent ou se cassent. Il n'en subsiste plus qu'une nostalgie naturaliste ou mystique.

Cette nostalgie s'exprime dans les habitudes d'imitation. Copie de la nature chez les artistes romains du bas-empire et chez les grands citadins occidentaux. Les hommes de la quatrième phase ont souvent pour la nature des regards et des émotions analogues à ceux du vieillard pour les enfants, ce qui est très compréhensible. Pour utiliser des mots actuels, disons qu'ils sont volontiers *écologistes*. La copie des anciens styles commence, chez les architectes égyptiens, au temps de Ramsès II, mais ne se généralise qu'au cours du 1er millénaire de notre ère. Les anciens thèmes mythologiques ou religieux sont copiés dans l'Inde du Ve siècle au Xe siècle de notre ère. L'imitation n'est pas parfaite. En littérature, la violence se veut copie de la fougue des anciennes sagas. Dans la statuaire, le colossal remplace la grandeur.

Parallèlement à cette nostalgie née de la rupture des liens naturels et traditionnels, la philosophie évolue vers l'éthique individuelle. Dans le monde hellénistique, puis dans le bas-empire romain, les principales écoles de pensée sont le stoïcisme et l'épicurisme. Si l'un se raidit alors que l'autre jouit d'une vie qu'il sait sans lendemain, ils se rejoignent en ne proposant que des solutions de désespoir. Dans la Perse islamisée se rencontrent toutes les tendances de la quatrième phase : mystique avec le soufisme orthodoxe, épicurienne avec Omar Khayyâm et les riches soufis hétérodoxes des cités perses, enfin stoïcienne avec les nombreuses confréries prêchant le renoncement.

La liberté de pensée et de mœurs permet l'expression des penchants les plus bas comme les plus élevés. La quatrième phase est à la fois le temps des corrompus et celui des ascètes. On a souvent stigmatisé le bas-empire romain en montrant du doigts les orgies, la corruption, et en condamnant cette période du mot de *décadence*. Mais a-t-on assez vu l'intense tension spirituelle qui se développait au même moment ? Si la pensée philosophique oscille entre épicurisme et stoïcisme, le comportement oscille de la déchéance la plus honteuse à la discipline la plus rigoureuse. Les élans ascétiques, bien plus que le libertinage, sont le signe de la liberté individuelle. La liberté est bien plus indispensable pour l'adoption d'une discipline personnelle que pour son rejet.

Cette liberté a parfois été jugée sévèrement. Ainsi Mencius, au troisième siècle avant J.C. décrit-il le passage de la nation chinoise dans la quatrième phase en termes peu élogieux. *« Quand le monde déclina et que la Voie devint obscure, les hérésies et la violence apparurent. Les seigneurs agissent désormais comme ils l'entendent. Des individus qui n'ont aucune position officielle ne gardent plus aucune retenue pour exprimer leurs opinions ; et les paroles de Yang Chu et de Mo Ti remplissent l'empire. Yang soutient que chacun doit agir pour soi, ce qui revient à nier que l'on doive agir pour son prince. Mo prêche l'amour sans discrimination, ce qui revient à nier l'importance de l'amour filial. »*

Ce Yang et ce Mo qui, pour Mencius, illustrent le déclin de l'empire, mais qui pour d'autres illustreraient la liberté d'expression, nous les retrouverions sans difficulté sous d'autres noms en France et dans toutes les nations parvenues à la « civilisation » ultime.

La démocratie, autrefois fondée sur la volonté du peuple, est désormais fondée sur la volonté de la population. Le système caractéristique de cette phase, alliant compétence et uniformisation, est le système bureaucratique. Le temps des civilisations est généralement un temps de troubles. La compétence tient lieu de légitimité ; chacun, alors, peut se sentir digne – ou plutôt capable – de gouverner. Des théories contradictoires se créent pour soutenir les prétentions au pouvoir de tels ou tels individus, tels ou tels groupes, telles ou telles classes sociales. Dans le bas-empire romain, chaque chef ou gouverneur militaire lorgne vers le trône impérial. À partir du IIIe siècle, il y eut presque en permanence une province aux mains d'un usurpateur, et les dynasties impériales n'atteignent que rarement la troisième génération. La civilisation moderne a sécrété deux grandes théories, le libéralisme et le socialisme, qui sont typiquement des théories de la compétence à gouverner.

L'homme de la troisième phase se prosternait devant l'esprit et vénérait la vertu. L'homme de la quatrième phase se prosterne devant l'intelligence et vénère la compétence. Cela ne signifie pas que la collectivité s'élève ou se renforce. Tout comme il a été fait un récit des *infortunes de la Vertu*, il pourrait se faire une bibliothèque des infortunes de la compétence. Les civilisations abondent en catastrophes de tous genres, déclenchées par des savants et des experts. La faillite des calculs les plus élaborés n'est peut-être pas étrangère au flot du scepticisme, stoïque ou épicurien, qui se manifeste dans les pays dits *développés*.

# SYNTHÈSE

Je schématise, de manière sans doute exagérée mais néanmoins éloquente, les différentes phases de l'évolution historique inspirée par Oswald Spengler.

| | Principe spirituel | Principe temporel | Modèle spirituel | Modèle temporel |
|---|---|---|---|---|
| Première phase | Sensation | Force | L'homme inspiré | Le héros |
| Seconde phase | Religion | Honneur | La grande âme | Le noble |
| Troisième phase | Philosophie | Vertu | L'homme de bien | Le meneur charismatique |
| Quatrième phase | Éthique | Compétence | Le juge | L'expert |

# SOUS-HYPOTHÈSE N°4

Merci et bravo, Oswald Spengler, pour avoir observé le temps humain au-delà des événements que retiennent les fabricants de romans nationaux ! Je vous ai choisi pour premier guide, parce que vous n'êtes pas l'avocat d'une société modèle, ni d'une civilisation triomphante. Je vous ai choisi parce que l'entêtement de la Bretagne à exister est inexplicable par la « science » historique. Mais, excusez mon audace, il me faut regarder les choses en face. Même des historiens originaux comme vous, qui ne se limitent pas aux événements et aux documents historiques, n'expliquent pas, eux non plus, l'entêtement breton à exister.

Je peux reconnaître dans vos descriptions l'histoire de la France et des sociétés qui nous entourent. Toutefois, je n'y retrouve pas l'histoire des communautés, et en particulier l'histoire de la communauté bretonne...

Jusqu'à la Renaissance, nous avons bénéficié d'une structure sociale, avec nos rois et nos ducs. Mais ensuite ? La société bretonne disparaît. Or, au cours des deux dernières phases, vous nous expliquez que le comportement social prend le dessus sur le comportement communautaire. C'est en effet cela que nous avons ressenti. Il nous a fallu nous intégrer dans la société française, qu'elle soit royale, républicaine, ou impériale. Lors des chapitres précédents, nous avons vu que, jusqu'à aujourd'hui, nous avons conservé un comportement communautaire. Notre intégration a manifestement été imparfaite. Notre histoire est tiraillée entre celle, chaotique, de la communauté bretonne et celle, contraignante, de la société française.

Lorsque les tensions se maintiennent pendant trop longtemps, les communautés sortent de l'histoire. Certaines d'entre elles en meurent. La nation burgonde, composée de paysans et de guerriers, a laissé sa trace dans les récits germaniques, et en particulier dans les *Nibelungen lieds*. Elle fut détruite alors qu'elle n'en était encore que dans sa phase héroïque. Il en fut de même de plusieurs nations indiennes d'Amérique, dont certaines avaient à peine commencé à s'individualiser. En Bretagne, la tension n'a pas été mortelle. Toutefois, la trajectoire dessinée par Oswald Spengler se perd. Aucune période que l'on pourrait qualifier de *classique* n'est advenue. Comment expliquer cette pérennité immobile, ou cette immobilité pérenne ?

En fait, l'immobilité et la pérennité sont toutes deux trompeuses. Nous avons observé qu'entre le XVIe et le XXe siècle, la culture bretonne a évolué curieusement, depuis des œuvres anciennes achevées vers des œuvres nouvelles immatures. Le renouveau a fait apparaître dans tous les domaines des formes brouillonnes, maladroites, mais pleines d'énergie. La pérennité et l'immobilité ne sont donc en réalité qu'une suite de *réinitialisations culturelles*.

Lorsque les sources d'inspiration, les connivences et les cultures se maintiennent, les communautés perdurent. Lorsque la trajectoire des sociétés triomphantes se perd dans la grande civilisation, la dynamique du futur germe dans ces communautés telluriques qui ont perduré. Certes, les invasions barbares, les grandes migrations, les « grands remplacements » révèlent la fin d'un cycle historique. Certes, ils déstabilisent les institutions de l'ancien monde. Mais ils n'enfantent pas le nouveau monde. Les barbares étrangers rançonnent et éventuellement exploitent les populations locales. Mais ils ne cherchent pas à les organiser. De générations en générations, ils finissent par s'y fondre. Lorsqu'une civilisation s'effondre, il n'y a pas à proprement parler un grand remplacement culturel. L'histoire nous montre qu'il y a plutôt un retour des cultures autochtones, dont l'évolution avait été bloquée par le triomphe des structures sociales. La langue italienne dérive du latin ; elle ne dérive pas de la langue des envahisseurs germaniques, tels les Wisigoths qui saccagèrent Rome en 410.

L'histoire cyclique d'Oswald Spengler apporte une lumière originale sur l'évolution des communautés culturelles qui deviennent des sociétés, puis des sociétés qui s'étatisent, puis des États qui se rejoignent. L'histoire des communautés autochtones européennes - dont la communauté bretonne – n'entre pas dans ce schéma. Toutefois, ces communautés sont le terreau qui permet le renouvellement. Ce ne sont pas elles qui détruiront la civilisation. Mais ce sont les comportements communautaires qu'elles ont préservés qui permettront le rebond, lorsque les comportements sociaux, poussés au bout de leur logique individualiste, auront paralysé la vie collective.

Formulons la sous-hypothèse n° 4 en deux propositions

**Proposition 4-1 : Nous vivons actuellement une période historique d'hégémonie de la civilisation moderne sur les cultures traditionnelles. Cette hégémonie est aussi celle du fonctionnement social sur les pratiques communautaires.**

**Proposition 4-2 : Le sentiment communautaire breton est d'une étonnante pérennité. Il est porté par l'espoir plus ou moins inconscient, soit de l'instauration d'une société bretonne, soit d'un déclin ou d'un effondrement de la civilisation moderne.**

*Sixième chapitre*

# EN QUÊTE DE CHAMPS D'ATTRACTION

*Ce chapitre analyse les forces physiques qui influent sur la cohésion de groupe. La question est de savoir si des équations utilisées en sciences « dures » peuvent être utiles pour expliquer l'histoire des communautés humaines. Finalement, existe-t-il pour les humains, comme pour les particules élémentaires, des* ***champs d'attraction*** *?*

## UTILISER LES MOTS JUSTES

Comment nous affranchir complètement d'Oswald Spengler, après nous en être nourri ? Eh bien, nous allons aborder la question de la cohésion de groupe et du sentiment d'appartenance autrement que par la méthode analogique et autrement que par la perspective historique. Nous allons vérifier si les équations de la physique peuvent nous éclairer sur l'évolution des communautés et sur les comportements collectifs.

Il nous faut d'abord tester la solidité et la pertinence du vocabulaire. Pour une structure humaine, peut-on employer les mots de *température*, de *pression*, de *masse*, de *puissance*, sans corrompre des définitions rigoureuses ? Devrais-je revêtir ces termes d'un voile de subjectivité ? Si tel était le cas, je perdrais mon temps et le vôtre à paraphraser des assertions scientifiques. Ce n'est évidemment pas le but. Je cherche à délimiter et à expliquer, non pas à convaincre. Je dois donc, avant toute chose, définir, et non pas suggérer.

Commençons par le mot « masse », employé à la fois par les physiciens, les historiens et les hommes politiques. En physique, la masse d'un corps mesure le nombre d'unités élémentaires. Les composants élémentaires sont les particules du noyau atomique, les protons et les neutrons, qui ont sensiblement la même masse. L'unité de masse atomique est le douzième de la masse d'un atome de carbone 12 dans son état fondamental. Dans le cas des structures humaines, le composant élémentaire est l'individu. Les atomes, dont le noyau est composé d'un ou plusieurs nucléons, sont homologues aux familles, plus ou moins étendues selon les époques et les cultures.

Un autre paramètre physique est la température. Les termes de « chaud », « froid », « glacé » sont couramment utilisés pour illustrer des rapports sociaux. Cela se réfère, non pas à une mesure précise, mais à une impression analogue à celle que produit un corps chaud ou froid. Une société a-t-elle une température ? En science physique, la température mesure l'agitation des particules élémentaires. Le zéro absolu de température correspond à l'immobilité. Lorsque la température s'élève, les particules s'agitent ; le cristal perd sa structure, le solide devient liquide, le liquide devient gaz. Aux températures les plus hautes, les molécules et les atomes perdent leur cohésion. Les particules élémentaires sont alors animées de mouvements désordonnés. Les mouvements sociaux sont, eux aussi, mesurables. On peut légitimement parler de société « froide », lorsque les mouvements des individus qui la composent sont de faible intensité. Une société « chaude » est une société qui s'agite. Les *atomes-familles* deviennent instables. Les *nucléons-individus* bougent continuellement, du foyer familial à l'école, vers le lieu de travail ou le lieu de vacances. Les sociétés modernes sont beaucoup plus chaudes que les sociétés traditionnelles, dans lesquelles l'agitation individuelle est limitée et les familles plus stables.

Une structure humaine, tout comme un fluide, exerce une *pression* sur ses éléments. En physique, la pression est la force qui résulte des collisions entre molécules, rapportée à l'unité de surface. Dans un groupe humain, la pression peut, de façon analogue, être définie et même mesurée : c'est la contrainte, et d'abord la contrainte légale.

Il existe, dans les groupes humains comme en science physique, des relations entre température et pression. Plus les individus s'agitent, plus l'État légifère. Une relation existe entre ces deux paramètres et le volume. Il est facile de montrer que plus un État s'étend et plus il brasse les individus. Ces phénomènes rappellent l'équation caractéristique des gaz parfaits : P V = n R T. La température est proportionnelle au produit de la pression par le volume.

Cela dit, il faut prendre un peu de distance avec ce genre d'équation en rappelant que les lois de la thermodynamique sont des approximations. Elles sont d'autant plus vraies que la pression est faible. Les lois physiques ne sont pas des vérités absolues. Les équations qui prédisent les comportements sociaux le sont encore moins.

# LES FORCES FONDAMENTALES

La grande révélation des sciences physiques est que la matière s'organise. Par une variété d'agglutinations, de fusions, de réactions, de cristallisations, elle construit des figures qui ne doivent rien au hasard. Cette tendance à l'organisation a fasciné plus d'un savant. Elle est à la fois le mystère premier et l'explication dernière de tous les phénomènes et de toutes les réalités physiques, de l'atome à la galaxie.

Les atomes s'assemblent en molécules sous certaines conditions bien particulières, dont l'étude définit une science qui fut longtemps prestigieuse : la chimie. Cette science a permis de théoriser les réactions et les combinaisons, qu'elles aient été constatées dans la nature ou réalisées en laboratoire.

À quelque niveau que nous observions la matière, nous y découvrons des principes d'organisation. La physique occidentale moderne a théorisé ces principes : ce sont les forces fondamentales. Elles sont au nombre de 4 (ou peut-être 5, ou peut-être 6...). Nous ne nous intéresserons qu'aux trois forces principales. Elles seront plus faciles à appréhender sur un exemple qui nous servira d'analogie par la suite : celui des phénomènes cosmiques.

Dans l'espace intersidéral, les grains de matière s'entrechoquent au hasard. Lorsque les grains sont suffisamment nombreux dans un endroit, ils ont tendance à s'agréger. L'agrégation tend à augmenter encore le phénomène d'attraction, nommé ***force de gravité***. Par agrégations et collisions, les planètes se forment. Au centre, la chaleur augmente au point que des phénomènes de fusion et des réactions chimiques se produisent et s'entremêlent.

Les réactions chimiques mettent en jeu la deuxième force fondamentale, la ***force électromagnétique.*** L'attirance, entre électrons et noyaux atomiques, et la répulsion, entre noyaux, créent de nouvelles combinaisons moléculaires.

Lorsque s'établit une relation entre plusieurs atomes, il y a libération d'énergie sous forme de chaleur. Les chimistes ont pu calculer, pour chaque type de liaison atomique, fer-oxygène par exemple, une *énergie de liaison*. C'est l'énergie libérée lorsque les atomes se lient. C'est aussi, à l'inverse, l'énergie nécessaire pour rompre une telle liaison.

A la chaleur dégagée par les collisions dues à la gravité vient s'ajouter la chaleur dégagée par les réactions chimiques. À cela s'ajoute encore l'énergie dégagée par la désintégration des atomes lourds. Si la température s'élève suffisamment, comme c'est le cas dans le cœur des étoiles, la stabilité du noyau atomique est remise en cause. Ainsi se trouve révélée une troisième force, l'***énergie de liaison des nucléons entre eux***.

Cette première approche des trois premières forces fondamentales nous permet de toucher du doigt deux constats importants pour circonscrire ce qu'est la cohésion.

Le premier de ces constats est que **toute liaison, qu'elle soit gravitationnelle, électromagnétique, ou nucléaire, dégage de l'énergie**. Ce constat n'est pas une évidence. On imagine qu'une liaison entre deux éléments aurait tendance à consommer de l'énergie plutôt qu'à en libérer. C'est le contraire qui est vrai. Entre la somme des masses des éléments et la masse de l'ensemble, on constate un *défaut de masse*. Un atome, organisation de protons, neutrons et électrons, pèse moins lourd que la somme des masses de ses protons, neutrons et électrons isolés. Ce défaut de masse correspond à l'énergie libérée lors de l'organisation atomique. Une molécule d'eau (H2O) pèse moins lourd que la somme des masses de deux atomes d'hydrogène et de l'atome d'oxygène. La liaison gravitationnelle Terre-Lune fait que l'ensemble pèse moins lourd que notre planète et son satellite s'ils étaient isolés. L'énergie libérée par une liaison gravitationnelle est néanmoins beaucoup plus faible que l'énergie dégagée par les liaisons électromagnétiques, elle-même beaucoup plus faible que l'énergie nucléaire.

**Ce constat de perte de masse et de libération d'énergie lorsque s'établissent des relations est à méditer profondément, et pas seulement par les physiciens.**

Le second constat est complémentaire du premier. Il peut s'énoncer comme suit : il y a compétition entre énergie thermique et énergie de liaison. **Plus la température augmente, et plus les éléments ont tendance à se dissocier**. Les structures s'effondrent les unes après les autres. Sous l'effet de la chaleur, la vie disparaît, les cristaux et autres structures solides se liquéfient, les liquides se transforment en gaz amorphes. Lorsque s'élève la température, les agglomérats et les macromolécules se brisent. Bientôt il ne reste plus que quelques centaines de modèles moléculaires et atomiques. Puis ces différences elles-mêmes s'estompent. Il n'y a plus ni or ni plomb, mais des électrons et des nucléons, particules simples agités de mouvements frénétiques. Lorsque la température atteint plusieurs millions de degrés, il n'existe plus qu'une purée d'éléments, un *plasma*.

Ainsi, la science nous montre que la diversité ne correspond pas à une multiplicité d'éléments ; elle correspond à une multiplicité de combinaisons. La rupture des relations est un appauvrissement. **L'individualisation est l'ennemie de la diversité.** C'est là encore un phénomène à méditer profondément, et pas seulement par les physiciens.

# LA FORCE DE GRAVITÉ

La force de gravité est liée aux masses. Dans les zones où la densité de population est minime, les groupes humains sont restreints et dispersés. Il serait rationnel, vu de l'extérieur, que ces groupes unissent leurs forces et leurs connaissances, afin de survivre dans un milieu hostile ou inexploité. Même sans parler de rationalité, l'intuition dicterait une telle conduite. En réalité il n'en est rien. Les Esquimaux ou les Indiens de la forêt amazonienne, pour ne citer que deux exemples, ne s'agglomèrent pas. Dans les zones de densité très faible, les tribus restent dispersées. Elles ne se composent que de quelques familles nomades qui se croisent sans fusionner. Elles ne se rassemblent en villages que lorsque les colons les y obligent.

Une telle situation existait déjà il y a bien longtemps, aux temps préhistoriques. Au paléolithique, les hommes erraient en petites tribus qui s'effilochaient à chaque génération. Il n'a pas été retrouvé de vestiges de grandes concentrations humaines qui auraient pourtant pu se former en retenant les enfants et en attirant, par quelque avantage, les individus extérieurs.

Les périodes préhistoriques qui nous ont légué des œuvres artistiques sont des périodes d'organisation des groupes humains. On ne peut imaginer l'art rupestre sans une démarche à visée collective. Ces périodes correspondent aussi à des pics démographiques. Ainsi, à l'époque des artistes de Lascaux, vers les 15-16ème millénaires avant Jésus-Christ, la population mondiale aurait culminé à 8 millions d'individus pour redescendre, 4000 ans plus tard, aux alentours de 5 millions[42].

La socialisation redémarre au néolithique. Elle va de pair avec une formidable explosion démographique. Entre le 9ème et le 6ème millénaire avant notre ère, la population mondiale est multipliée par 10. Le phénomène est particulièrement intense au cours du 6ème millénaire. Entre –6000 et –5000, la population mondiale est multipliée par 5 ou 6. La croissance varie selon les zones géographiques. Les structures humaines les plus élaborées apparaissent dans les endroits les plus peuplés. Des villes, comme Jéricho, sont édifiées alors.

L'agriculture s'organise, et il faut se demander si c'est vraiment l'agriculture qui a imposé l'organisation sédentaire. La réalité est peut-être différente. La croissance démographique a pu solliciter un autre mode de ravitaillement que la chasse et la cueillette, et favorisé l'essor de l'agriculture.

Aux périodes historiques, il est possible d'établir des coïncidences entre les forces de gravité, les masses en présence et les distances qui les séparent. En Chine, un des pics démographiques correspond aux dynasties Qin et Han qui réduisirent le système féodal et accentuèrent la centralisation. Puis, entre l'an 0 et l'an 400, la population diminue de 70 à 25 millions d'habitants. On assiste parallèlement à un retour de la féodalité. Dès l'an 220, l'empire se disloque. C'est *l'époque des trois royaumes*. Le Nord, attaqué par les tribus nomades, se morcelle. La réunification de la Chine à la fin du VIe siècle coïncide avec un retour à un niveau démographique équivalent à celui de la période Han.

Dans le bassin méditerranéen, le pic de population se situe autour de l'an 200 de notre ère. Il coïncide avec la centralisation de l'empire romain.

Dans l'Europe de l'Ouest du premier millénaire, la population atteint son niveau le plus bas au cours du VIIIe siècle. Ce creux coïncide avec une régression des structures politiques. Les derniers Mérovingiens n'ont qu'une souveraineté bien théorique. En Grande-Bretagne, les Saxons, les Danois et les Norvégiens vivent surtout de rapines, alors que les derniers rois bretons se maintiennent à l'Ouest, non par leur puissance, mais par la fidélité et la solidarité de leurs sujets. En Espagne, les Wisigoths, les Vandales puis les Maures, créent des royaumes qui correspondent moins à une organisation politique qu'à une zone de razzia. Seules les régions les plus peuplées, comme la région de Cordoue, se dotent d'une organisation administrative qui, à la périphérie, reste fragile et instable.

Il est assez difficile de suivre les évènements de cette période, dans la mesure où les structures humaines sont particulièrement volatiles. Non pas tant parce que les barbares répugnent à l'organisation, mais parce que la force de gravité nécessaire au maintien de l'agrégation est insuffisante. L'effort à fournir pour s'affranchir de l'attraction des structures voisines est relativement faible. L'organisation féodale du haut Moyen-Âge correspond certes à une vision aristocratique, mais surtout à une situation de faible gravité.

Le sous-continent indien connaît un pic de population au IIIe siècle avant Jésus-Christ, avec 55 millions d'habitants. Ce pic est à nouveau approché, après un creux de huit siècles, au VIe siècle après Jésus-Christ. Après un nouveau creux de population, le cap des 55 millions ne sera atteint et dépassé qu'au XIe siècle. Le premier pic démographique correspond à une des grandes périodes de centralisation dans cette partie du monde. Ashoka, le plus grand potentat que l'Inde ait connu, célèbre pour sa sagesse, règne de -273 à -232. Il concilie par sa grandeur et sa bienveillance l'ensemble de ses sujets. Aux quatre coins de l'Inde, des rochers et des piliers gravés d'inscriptions perpétuent les messages du souverain à ses peuples. L'action d'Ashoka se ressent d'une volonté d'instaurer un ordre universel, réglé dans ses moindres détails, pour le bien-être de tous.

Après lui, l'empire s'effrite. Les Grecs, les Parthes, les Scythes, les Kouchanes rognent et bousculent l'administration impériale. Deux siècles plus tard, la centralisation de l'époque Ashoka n'est plus qu'un souvenir. Même Samudragupta, au IVe siècle, malgré ses campagnes victorieuses, malgré le haut niveau culturel de l'Inde à son époque, ne pourra rétablir une administration solide, sauf sur la plaine indo-gangétique, au Nord-Est du pays.

De ces quelques exemples, nous pouvons retenir une tendance générale. Dans les cas de faibles densités de population, l'organisation politique est décentralisée. En outre, l'attraction exercée par une structure humaine sur une autre est en rapport inverse de leur distance. Plus les structures sont distantes l'une de l'autre, et moins elles tendent à s'agglomérer.

Nous en resterons à ce prudent exposé, qui nous permet de rapprocher les tendances des organisations sociales et les phénomènes de gravité. Restons-en à l'idée de coïncidence, sans tomber dans un déterminisme trop mécanique. Il est sans doute possible d'aller plus loin dans le rapprochement entre les lois de la gravité et la modélisation des courants organisateurs des sociétés. Mais cela reste encore largement à étudier, et nous éloignerait de notre sujet.

## LA FORCE ÉLECTROMAGNÉTIQUE

Il est tentant de penser que toutes les sociétés humaines sont de même nature. Les différences entre regroupements volontaires, annexions forcées, ou unions définitives ne seraient que des différences d'intensité. La réalité est toute autre. Il importe de bien distinguer entre un rattachement et une fusion ou, selon d'autres termes, entre une centralisation et une unification.

La centralisation correspond au phénomène de gravité, que nous avons vu dans le précédent paragraphe. L'autorité s'étend, mais elle ne modifie pas fondamentalement la nature des structures qu'elle gère ou qu'elle coiffe. Le passage de la centralisation à l'unification est marqué par une série de réformes simplificatrices. Les éléments qui, auparavant, apparaissaient comme de natures différentes les uns par rapport aux autres, sont désormais considérés comme les pièces d'un même puzzle. L'agrégation du territoire des vaincus au territoire des vainqueurs devient fusion. Il n'y a plus de vainqueurs ni de vaincus. Tous deviennent les *administrés* du nouvel ensemble. Comme dans une réaction chimique, les éléments différents qui étaient rassemblés se sont unis pour donner naissance à un corps nouveau. Les propriétés de ce dernier diffèrent de celles des éléments primitifs.

Quelles peuvent bien être ces conditions objectives ? Nous savons que les réactions de fusion supposent une température minimale. La chimie peut d'ailleurs définir avec précision à partir de quelle température s'enclenchent ces réactions.

L'idée ici est donc de tenter de déterminer, dans les structures humaines, quelle est la température au-delà de laquelle se produisent les phénomènes d'unification. Dans l'état actuel des choses, la température sociale est difficile à mesurer objectivement. Limitons-nous à un seul paramètre. Il en existe d'autres, mais notre but n'est pas de déterminer l'histoire par des algorithmes, mais de montrer que des algorithmes peuvent exister.

Ce paramètre d'approche, c'est la densité de population. Il existe un lien entre densité et température. L'équation qui permet de calculer la variation de la température en fonction de la densité – toutes choses étant égales par ailleurs - est relativement simple, bien que la fonction ne soit pas linéaire. Sans entrer dans le détail de cette relation thermodynamique, disons que, jusqu'à un certain seuil, la température augmente quand la densité croît. Après avoir atteint un maximum, la température diminue alors que la densité continue de croître. Les mouvements des particules sont de plus en plus contrariés par les particules voisines. Aux très hautes densités, comme dans le cas des *trous noirs* cosmiques, la température est selon toute vraisemblance très basse, du fait de la quasi-immobilité des particules, serrées les unes contre les autres.

Ces très grandes densités, qui peuvent contrarier les mouvements des individus, sont inconnues à ce jour dans l'histoire humaine. Dans les situations historiques réelles, nous pouvons penser que la densité de population est un des facteurs qui fait monter la *température* sociale. Et nous allons donc vérifier s'il existe un seuil de densité au-delà duquel s'enclenchent les phénomènes d'unification ou de dédifférenciation.

Nos observations n'auront pas la précision d'un calcul mathématique. La densité n'est qu'un des facteurs, non le seul, qui influe sur la température. Et la température n'est qu'un des facteurs, non le seul, qui influe sur l'expression des forces électromagnétiques. Le volume et la pression sont, eux aussi, susceptibles de faire varier la température. Ce qui nous importe, ce n'est pas tant des lois et des formules qui permettent de mesurer, mais plutôt un modèle qui permettrait d'aborder des phénomènes complexes. La complexité, fût-elle immense, ne dispense pas de tout effort de compréhension.

Revenons à nos observations sur les densités humaines, et à leurs éventuelles relations avec les phénomènes d'unification. Les chiffres de population portant sur les époques reculées sont très incertains et les limites des structures étatiques ne sont pas connues avec précision. Orientons-nous vers l'histoire récente.

Prenons le cas de la Turquie. Le processus d'unification y est particulièrement net, et même brutal. Dans les années 1920, Mustapha Kemal abolit le califat, balaie les identités arménienne et kurde, et proclame une constitution unique pour la Turquie. Au cours de ces années, la Turquie atteint et dépasse la densité de 50 habitants au kilomètre carré.

Au Japon, la population passe de 11 millions d'âmes en 1600 à 25 millions en 1700. La densité japonaise passe de 29 à 67 individus au kilomètre-carré. Le XVIIe siècle est la période de la grande unification du Japon sous les shoguns de la dynastie Tokugawa. La mise au pas des féodaux par l'administration shogunale s'exprime sans discussion par sa capacité à imposer la fermeture de toutes les frontières du Japon à partir de 1639.

En Chine, la densité de 50 est atteinte vers 1928. Le pays compte alors 474 millions d'habitants pour 9 560 000 km². C'est une période de trouble. L'ancien empire chinois a été unifié en 1912 par la République de Sun Yat-Sen. L'accession des communistes au pouvoir en 1949 confirmera ce processus.

En Espagne, la densité de 50 est atteinte entre 1930 et 1940. Pour une superficie de 506000 km², la population passe de 23,677 à 26,014 millions d'habitants. La victoire du général Franco déclenche la mise en place d'une unification administrative et culturelle inconnue jusqu'alors dans la péninsule ibérique.

Dans le cas du Royaume Uni (Angleterre, Ecosse, Irlande), la surface concernée par la structure étatique est de 315 000 km² environ. Cette surface correspond à l'ensemble des îles britanniques, Irlande comprise. La densité 50 est acquise entre 1750 et 1800. Le Traité d'Union de 1707 avait fusionné le Parlement du royaume d'Ecosse et le Parlement du royaume d'Angleterre en un seul parlement, le *Parlement de Grande Bretagne*. L'Ecosse gardait cependant son autonomie en matière de droit et d'éducation. L'Acte d'Union de 1800, signé en 1801, crée le *Royaume-Uni de Grande Bretagne et d'Irlande*. Au-delà de la centralisation politique, l'unification touche les domaines juridiques, économiques, religieux. Le Royaume Uni ne reconnait qu'une seule religion. Les lois en vigueur dans chaque royaume sont abrogées lorsqu'elles sont contraires aux législations du Royaume Uni.

Dans l'Hexagone, la densité 50 est atteinte un peu avant 1800. La France compte alors 28,7 millions d'administrés. La centralisation devient unification lors de la Révolution de 1789 : abolition des anciennes provinces, unification administrative. Le territoire est divisé en départements dont le tracé obéit à des raisons purement administratives. Les villes et les paroisses sont soumises à un statut uniforme. La Déclaration des Droits de l'Homme annonce des mesures qui font de tous les administrés des citoyens, possédant les mêmes droits et soumis aux mêmes devoirs. Napoléon, en unifiant le système scolaire, la législation, la santé publique, parachève l'œuvre de la révolution française.

L'Allemagne et l'Italie présentent plus d'un demi-siècle de décalage entre la densité 50 et le processus d'unification. En 1800, les deux territoires dépassent le seuil des 50 habitants au kilomètre carré. Il faudra attendre la seconde moitié du XIXe pour voir se réaliser l'unification. Que s'est-il passé ? Pour ces deux exceptions, les situations sont très différentes des exemples précédents.

Dans la péninsule italienne **plusieurs pôles de centralisation** coexistent jusqu'au XIXe siècle. Rome, Venise, Florence, Naples et Milan s'équilibrent au point que l'attraction qu'elles pourraient exercer les unes sur les autres est contrebalancée par une répulsion aussi puissante. Ce phénomène est analogue à celui que l'on peut observer entre deux charges électriques de même signe. De plus, au début du XIXe siècle, les luttes entre Français et Autrichiens pour l'intégration des espaces italiens à leur propre État entrave toute unification. Quand des structures purement italiennes, comme le royaume de Piémont-Sardaigne, s'affirment, le mouvement unificateur démarre quasi automatiquement. Il s'accélère jusqu'à la proclamation de la République Italienne en 1861 et trouve sa conclusion dans la prise de Rome en 1870.

En Allemagne, la situation est inverse. Il n'existe au XVIIIe siècle **aucun pôle d'attraction** véritable. Le Saint Empire est un conglomérat de provinces rurales. Les États allemands forment un ensemble relativement stable, dans la mesure où les faibles attractions qu'ils exercent les uns sur les autres s'équilibrent. L'histoire de l'Allemagne au XVIIIe siècle est dominée par la rivalité entre l'Autriche et la Prusse, à laquelle se superpose la rivalité entre

États catholiques et États protestants. Au début du XIXe siècle, les conquêtes napoléoniennes amoindrissent l'espace sous administration allemande indépendante, tout en stimulant les volontés unificatrices. Lors du retrait français, le mouvement s'enclenche sous la direction de la Prusse. La Confédération Germanique est créée en 1815, puis l'Union Douanière (Zollverein) de 1819 à 1854, ensuite la Confédération de l'Allemagne du Nord en 1866. En 1871, après la victoire prussienne sur les Français, Guillaume 1er est proclamé empereur d'Allemagne.

L'unification italienne présidée par Cavour, et l'unification allemande présidée par Bismarck, montrent que le mouvement unificateur ne dépend pas d'une longue maturation des esprits. Même si les cerveaux n'y ont pas été préparés, même si des pesanteurs sociologiques ou historiques s'opposent à cette réalisation, la réaction chimique une fois enclenchée se déroule jusqu'au bout, forçant toutes les résistances et s'imposant rapidement comme une évidence.

Pour conclure ce paragraphe, donnons aux amateurs de prévisions quelques chiffres concernant deux structures non unifiées. Commençons par Les États-Unis, qui est une fédération d'États. Chaque État y dispose d'une administration autonome (police, éducation, etc...) qui pourrait, toutes proportions gardées, se comparer aux compétences provinciales d'avant la Révolution Française. En 2019, la population était de 327 168 000 habitants, avec une densité d'environ 33 habitants au $km^2$.

La Russie est une fédération de 85 unités plus ou moins autonomes, dont 22 républiques ayant une constitution propre. En 2020. La population était de 144 100 000 habitants, avec une densité d'environ 8 habitants au $km^2$.

# LES FORCES NUCLÉAIRES

En nous penchant sur les réactions nucléaires, nous nous éloignons de notre sujet, qui concerne les grandes structures humaines, les États, les empires. Les réactions nucléaires se produisent à l'échelle atomique, c'est à dire à une échelle microscopique. Toutefois, ces réactions peuvent avoir une influence sur les niveaux supérieurs et ne peuvent être négligées. Contentons-nous de quelques observations.

Les réactions nucléaires concernent la force qui relie les éléments du noyau atomique. Cette force est très grande, beaucoup plus que la force électromagnétique et que la force de gravité. L'énergie thermique qui doit être mise en œuvre pour vaincre l'énergie de liaison entre nucléons est énorme. Il faut atteindre des températures très élevées. L'établissement de nouvelles configurations nucléaires permet, dans certaines conditions, de libérer l'énergie de liaison entre nucléons. Ces nouvelles configurations se créent par fission, c'est à dire en brisant un noyau lourd ; ou par fusion, c'est à dire en ajoutant des éléments à un noyau léger. Les phénomènes qui affectent les structures humaines peuvent-ils être les mêmes que ces phénomènes physiques ? Nous avons établi précédemment une analogie entre l'individu et le nucléon. Voyons si les modifications qui affectent les structures de base, analogues au noyau atomique, les familles en particulier, mettent en jeu de grandes énergies.

Il semble que l'énergie nécessaire pour rompre le modèle familial soit très grande, statistiquement parlant. La famille est une structure, ou plutôt un modèle structurel, qui résiste aux attaques les plus dures. Elle peut certes se transformer, en passant par exemple de la polygamie à la monogamie, en incluant les grands parents ou en les excluant. Les liens de parenté restent cependant la base des structures humaines. C'est seulement dans des lieux très « chauds », les grandes cités cosmopolites, que cette base s'affaiblit et que le modèle familial devient moins attractif.

Ceci n'est pas un phénomène nouveau. Les grandes cités ne sont pas des inventions modernes. Il y eut autrefois Babylone, Byblos, Alexandrie ; Aujourd'hui, New-York, Londres, Paris. Les phénomènes que nous pouvons observer dans les grandes cités modernes sont ceux que les auteurs anciens nous décrivent pour les grandes cités de l'antiquité. L'individu y triomphe. Selon les tempéraments, on parlera d'égoïsme ou d'universalisme, de solitude ou de liberté. Ces termes semblent très différents les uns des autres. Ils décrivent tous une érosion des relations de proximité, pour le meilleur et pour le pire. Le plus grand individualisme/universalisme des citadins peut être mis en rapport avec la haute température de la ville. La ville est un milieu dense. De nombreux individus s'y entassent sur une petite surface. Les éléments y sont d'une extrême mobilité sociale et géographique. Les grandes cités sont des centres de transit, des comptoirs d'affaires, des lieux de rassemblement. Les individus les plus mobiles vivent dans les grandes villes : capitaines d'industrie, artistes officiels, cadres supérieurs, ouvriers déracinés, migrants. Les hautes températures sociales, dans les concentrations humaines, induisent des phénomènes de fission spontanée, de fission induite, de désintégration des unités nucléaires.

Après l'exemple de fission nucléaire des grandes cités cosmopolites, passons à un autre exercice de forces nucléaires. D'une façon très différente des concentrations citadines, les religions permettent une libération d'énergie, cette fois par fusion. Les nouvelles religions naissent pour rétablir des relations humaines affaiblies. Le précepte de Jésus, « Aimez-vous les uns les autres » est producteur d'énergie nucléaire, l'individu étant un nucléon. Les préceptes de Mahomet concernant les liens familiaux sont du même ordre.

Le cas de Mahomet et de l'explosion musulmane est le plus flagrant. Le Prophète a rassemblé autour de Médine et de La Mecque des tribus nomades et des familles commerçantes aux mœurs distendues. Le déclin du système tribal appelait des réformes. Mahomet fixa des limites à la vendetta en encourageant les systèmes de compensation, ce qui renforçait les solidarités. Il établit de nouveaux règlements concernant l'héritage. Il définit la place de l'homme et celle de la femme – ou des femmes - dans la famille. Il intègre la structure familiale dans un ensemble plus vaste, la communauté des croyants qui, elle aussi, reçoit des prescriptions précises. Lisez le Coran ; vous constaterez la force des recommandations, par exemple au nombre de mots évoquant la nécessité ou la menace du châtiment.

Ces prescriptions, les *piliers de l'islam*, contribuèrent très fortement à coordonner les attitudes des musulmans. La prière en commun, le jeûne du mois de Ramadan, l'aumône légale, sont des exercices collectifs. Les formules rituelles et le pèlerinage à La Mecque permettent aux musulmans de se reconnaître entre eux, de communier dans une même ferveur, et de se sentir solidaires.

Il est impossible d'expliquer par de strictes raisons économiques, sociales ou politiques, la formidable expansion musulmane, tout comme, six siècles auparavant, l'expansion du christianisme. S'il est possible de faire une analogie entre l'expansion musulmane et les réactions nucléaires, c'est à cause de la formidable énergie mise en jeu. La conquête ressemble fort à un exutoire, utilisant et canalisant un trop plein d'énergie nouvelle. Le premier successeur du prophète, Abu Bakr, ne put que donner son accord aux expéditions en Syrie et en Irak, lancées par les tribus bédouines frontalières. Ses successeurs prirent la tête du mouvement et l'organisèrent mais, le plus souvent, ils se contentèrent d'enregistrer l'avance des troupes musulmanes.

L'expansion musulmane des premiers siècles après l'Hégire a de quoi, aujourd'hui encore, laisser pantois. Vingt ans après la mort du prophète, les armées musulmanes avaient anéanti l'empire Perse, envahi la Palestine et la Syrie, occupé l'Égypte. Les conflits internes provoquèrent pendant un temps l'arrêt des conquêtes, mais elles reprirent ensuite de plus belle. La conquête de l'Espagne fut entreprise à partir de 710 par Musa Ibn Nusayr et Tariq Ibn Zyad sans en référer au calife. Cette conquête fut la solution trouvée par Musa, gouverneur de Tunis, pour canaliser l'énergie des Berbères nouvellement islamisés. Leur élan les porta jusqu'en Espagne et en Aquitaine. Mahomet, en réhabilitant les familles et en organisant la communauté des croyants, a mis en œuvre un phénomène de fusion nucléaire, qui a dégagé une énergie extraordinaire.

## L'ENTROPIE SOCIALE

Les phases d'organisation des puissances humaines ne posent pas de problèmes insolubles à l'historien moderne. Elles semblent même aller de soi. Qu'il s'agisse de la Grèce antique d'Homère à Périclès, de l'empire romain de Romulus à Auguste, de l'expansion celtique du Ve au IIIe siècle avant Jésus-Christ, ces mouvements peuvent être appréhendés avec le préjugé du *progrès* et du *sens de l'histoire*. La croissance s'explique toujours, d'une façon ou d'une autre. Lorsque les structures s'affaiblissent, les explications perdent leur force rationnelle. La régression, contrairement à l'expansion, est vue comme un accident ou une erreur de parcours. Les Grecs de la période hellénistique étaient trop désunis... Mais ont-ils jamais été véritablement unis ? Les Romains du Bas-Empire étaient amollis par les plaisirs, menés par des empereurs corrompus... Mais pourquoi l'amollissement ? Pourquoi la corruption à ce moment-là ? Existerait-il une sorte d'équilibre magique, qui fait du vainqueur d'aujourd'hui le vaincu de demain ? Dieu intervient-il pour le plaisir de brouiller les cartes ? Non bien sûr. Il existe une mécanique de la régression comme il existe une mécanique de l'expansion.

L'organisation et l'expansion d'une puissance humaine correspondent à une agrégation de forces et à une disponibilité de l'énergie. La régression d'une structure correspond à une désagrégation de forces et à un déficit d'énergie. La dégradation peut être constatée et quantifiée : baisse relative de la puissance économique, militaire, culturelle. Elle peut aussi être observée par la désorganisation – qui n'est souvent qu'un excès d'organisation - ou par l'inertie administrative.

La déstructuration correspond à ce que les physiciens appellent l'entropie, qui est l'une des notions fondamentales de la thermodynamique. Au milieu du XIXe siècle, le physicien allemand Clausius vérifie que le premier principe de la thermodynamique est compatible avec le second. Il formule, comme une conséquence de sa démonstration, la notion d'entropie. L'entropie, ou plutôt la variation d'entropie, mesure l'énergie disponible, et aussi, par extension, l'état de désordre d'un système. Clausius démontre que, au cours d'un processus quelconque, l'entropie d'un système isolé ne peut que croître. Le désordre peut apparaître spontanément à l'intérieur d'un système, alors qu'il n'y a jamais accroissement spontané de l'ordre. L'exemple classique de la variation d'entropie est le mélange de gaz. Un mélange de deux gaz différents constitue un état moins utilisable que les deux gaz pris séparément. Un mélange de deux gaz identiques, mais à des températures différentes, conduit à unifier la température et, là encore, l'énergie du mélange est moins utilisable que si les deux sources ont des températures différentes. L'unification correspond à une perte d'énergie disponible.

La notion d'entropie est fondamentale pour comprendre l'usure et la dégradation des structures humaines[43]. Pourtant, les philosophes des Lumières avaient postulé que plus une structure serait unifiée par la Raison, plus elle serait stable et efficace. Le progrès ne pouvait être remis en cause. L'idée d'une dégradation continue et inéluctable qui, sans être déraison, balayerait les conquêtes de la Raison, ne pouvait que les offusquer. Les physiciens des siècles suivants ont démontré qu'ils avaient tort...

Établissons les premiers constats. Les phases d'expansion territoriale sont des moments pendant lesquels il y a confrontation entre des systèmes de nature et de température différentes. La confrontation est productrice d'une énergie, qui produit aussi de l'organisation lorsqu'elle est bien utilisée par le vainqueur. Les conquérants les plus marquants sont toujours de grands organisateurs : Charlemagne, Napoléon, Bismarck, Pierre 1er de Russie, Georges Washington. La production d'énergie autrement que par l'expansion territoriale est néanmoins possible. Ainsi Frédéric-Guillaume 1er, dit « le Grand Électeur », fonda et organisa la puissance prussienne, non pas tant par les conquêtes que par l'accueil des Huguenots chassés de France.

L'expansion, de toute façon, se heurte à des limites humaines et géographiques. Aux phases de confrontation, productrices d'énergie, succèdent des phases de désordre et d'éclatement. A la colonisation succède la décolonisation. Il n'existe pas d'empires inscrits dans la grande durée. Prenons un exemple loin de la Bretagne. Les conquêtes mongoles du XIIIe siècle, de la Corée à la Hongrie, ont apporté une énergie extraordinaire à des conquérants qui sont aussi des organisateurs. La « Pax Mongolica » favorise le commerce le long des routes de la soie. Toutes les religions sont tolérées. Mais, au XIVe siècle, les descendants de Kubilaï Khan (1259-1294) ne sont plus ni des conquérants, ni des organisateurs ; ils sont devenus des administrateurs arrogants. La xénophobie et l'intolérance religieuse absorbent l'énergie qui faisait fonctionner l'empire. Tout se disloque. La peste bubonique donne le coup de grâce.

Deuxième constat. L'apport d'énergie, qui permet de contrarier l'entropie, provient d'abord des êtres vivants. Nous verrons dans le chapitre suivant que les associations d'êtres vivants fonctionnent comme des superorganismes. Les communautés, végétales, animales, humaines, ont une action néguentropique. La famille est la communauté humaine primordiale. D'autres formes existent : communautés de lignage, communautés de croyance, communautés de culture, communauté d'action, communauté d'intérêts. Nous en avons déjà parlé. L'organisation sociale récupère l'énergie des communautés disponibles. Dans nos sociétés modernes, l'État pompe l'énergie produite par la nation, communauté de culture et d'intérêts. L'association des deux, que l'on nomme l'État-nation, est la solution qui permet à l'État de se maintenir lorsque les autres sources communautaires se tarissent. C'est ce qui se passe lorsque les dynasties s'affaiblissent, ou lorsque les aristocraties s'éteignent, ou lorsque les religions perdent leur emprise.

Troisième constat. Dans les sociétés modernes, les échange de savoirs et de marchandises provoque un nivellement de tout, et donc une augmentation de l'entropie. Cette augmentation se manifeste par la désagrégation des structures sociales. Les sécessions se multiplient inexorablement. En 1920, 85 pays se proclamaient souverains. 43 d'entre eux rejoignirent la SDN, Société des Nations. En 1945, l'ONU, Organisation des Nations Unies qui remplace la SDN, est créée par 51 membres fondateurs. En 1990, l'ONU compte 159 États membres. En 2019, L'ONU reconnait 195 États, dont 193 États membres et deux États observateurs, le Vatican et la Palestine. Une dizaine d'États, indépendants de fait, ne sont pas reconnus par l'ONU. **Le regain du nationalisme est la recherche, souvent inconsciente, d'une source d'énergie.** Cette énergie est nécessaire, soit pour maintenir des structures administratives, soit pour en créer de nouvelles.

## SOUS-HYPOTHÈSE N°5

Le présent chapitre où nous étions en quête de forces n'a pas apporté d'explications à la cohésion bretonne et au sentiment d'appartenance communautaire. Il était destiné à éclairer quelques facteurs physiques qui affectent les groupes humains. Cet angle d'attaque nous permet maintenant d'aborder de façon originale l'influence des masses environnantes sur la Bretagne.

L'attraction française ne doit pas être surestimée par rapport à celle des autres pays proches. La mer n'a jamais constitué une barrière. Les relations avec l'Espagne au sud et la Grande Bretagne au nord ont émaillé l'histoire de Bretagne, pendant et après la période d'indépendance. Puis l'émigration vers l'Amérique du Nord a créé des liens et un tropisme vers l'ouest. Si nous devions calculer précisément les forces de gravité qui s'exercent sur la Bretagne, il nous faudrait d'abord trouver le rapport entre distances terrestres et distances maritimes. Le voyage jusqu'en Bretagne en partant de la côte anglaise ou espagnole ne correspond qu'à une seule étape. La carte des attractions déforme la carte de géographie. Il nous faudrait ensuite situer le barycentre des populations françaises, britanniques, espagnoles et américaines, ce qui nous donnerait l'orientation des vecteurs. Puis nous calculerions l'attraction selon la masse et la distance. À vrai dire, ces vecteurs seraient mouvants, compte tenu de l'évolution démographique globale et de l'urbanisation. Une telle étude serait profondément originale, mais nous entraînerait dans des calculs et des développements complexes. Contentons-nous d'une approche.

L'équilibre entre le social et le communautaire dépend de la démographie. Il dépend aussi et surtout du sens des variations. Lorsque la population augmente, le social prend le pas sur le communautaire. Il faut organiser et légiférer. Lorsque la population stagne ou diminue, le désordre s'accroit. L'édifice social éprouve plus de difficultés à capter l'énergie communautaire. Entre l'an 1000 et l'an 2000, la population européenne a été multipliée plus de 17 fois. Nous pourrions en déduire que l'attraction entre les collectivités humaines a augmenté d'autant. Mais ce sont les variations démographiques qui influent sur les réactions sociales et communautaires, bien plus que le niveau atteint.

Quelques indices étonnants renforcent notre hypothèse. Ainsi, après une période de soumission aux prétentions royales, l'émancipation du duché breton de la tutelle française est évidente sous le règne du duc Jean V (1402-1442). À cette époque, à cause des guerres et surtout des épidémies du XIVe siècle, la population européenne a chuté. Elle n'est plus que de 40 millions d'âmes, après avoir atteint 69 millions en 1300. Au sein de l'Église chrétienne, c'est aussi une période de désagrégation. Elle subit le grand schisme d'Occident (1378-1417). De nouvelles hérésies se diffusent dangereusement, comme celle de John Wyclif (1330-1384), précurseur du protestantisme.

L'attraction française en Bretagne suit assez fidèlement les évolutions démographiques. Entre 1500 et 1800, en 300 ans, la population européenne augmente de 274%. La Bretagne perd son indépendance à la fin du XVe siècle. Jusqu'à la Révolution française, les actes de résistance ne peuvent empêcher la francisation du pays. Entre 1800 et 1851, la population française métropolitaine[44] croît de 24%, malgré les guerres napoléoniennes.

Entre 1851 et 1901, la croissance démographique n'est plus que de 12%. Durant les premières années du XXe siècle, la fécondité baisse jusqu'à 2,38 enfants par femme en 1913[45]. Puis, pendant la guerre 14-18, environ trois millions de Français disparaissent. **Après la guerre, pas de baby-boom, le rattrapage démographique est quasiment inexistant.** En 1935, la fécondité moyenne est descendue à 2,05 enfants par femme. Le solde naturel de population devient négatif. En 1939, la France compte un peu moins d'habitants qu'en 1913. En 1945, elle en compte deux millions de moins. Que se passe-t-il alors ? Pendant la seconde moitié du XIXe siècle, les linguistes, les collecteurs de la culture populaire et les historiens anticipent la mort de la Bretagne et écrivent son testament. Puis, à côté de ceux qui écrivent le testament, apparaissent progressivement ceux qui refusent de laisser mourir leur pays. **Après la guerre 14-18, le séparatisme breton prend son essor**. Cet essor sera brisé par la guerre 39-45. L'épisode est vécu comme un traumatisme difficilement compréhensible.

**Après la guerre 39-45 s'amorce un renouveau démographique que l'après-guerre 14-18 n'avait pas connu**. En 1946, la fécondité moyenne est remontée à 2,99 enfants par femme. En 1950, la France retrouve sa population de 1913. En vingt ans, entre 1944 et 1964, la France gagne 9 millions d'habitants. Que se passe-t-il alors en Bretagne ? Constatons que **la revendication d'après-guerre est différente de celle de la période précédente**. L'idée de sécession devient marginale. La maxime « les ennemis de nos ennemis sont des alliés potentiels » n'est plus acceptable. Les quelques contacts avec les « ennemis » de la France d'alors, les pays du bloc soviétique, la Lybie, l'Iran, sont sans conséquence. Le nouveau mouvement breton se donne pour priorité la reconnaissance officielle de la Bretagne dans la vie publique française. Le séparatisme a perdu la crédibilité qu'il avait lorsque la démographie était atone. **Au XXIe siècle, nouveau changement**. Le taux de natalité en France est inférieur à 2. Le déficit démographique n'est compensé que par l'immigration. L'indépendantisme breton sort de sa marginalité. **Lors d'une variation à la baisse de la démographie, Le réflexe *communautariste* devient *séparatiste***. Dans les États nationaux, le réflexe est dit *nationaliste*. Prenons l'exemple de la Hongrie. Entre 1970 et 1980, l'augmentation de population est de 3,8%. Au cours de la décennie suivante, la population décroit de 3,1%. Depuis les années 2000, la décroissance démographique oscille entre 2 et 2,4%. Le leader « populiste » Viktor Orbàn a été élu président de la république en 2010.

L'exemple chinois est assez troublant. Les périodes de croissance démographique coïncident avec la durée des dynasties[46]. La coïncidence entre rupture démographique et rupture socio-politique pourrait être transformée en relation de cause à effet, dans un sens ou dans un autre. Faire de la baisse démographique la cause de la rupture socio-politique correspond à notre hypothèse. Restons prudents et contentons-nous d'observer la coïncidence.

Vers l'an 88 de notre ère, une chute démographique est enregistrée par rapport aux données antérieures. Elle correspond au changement du cours du Fleuve Jaune, qui eut des conséquences catastrophiques. Elle correspond aussi à des révoltes paysannes et au changement dynastique des Han occidentaux aux Han orientaux.

Au début du VIIe siècle, une dépopulation sévère coïncide avec le passage de la dynastie Sui à la dynastie Tang.

Sous la dynastie des Song du Nord (960-1127), la population double en un siècle. C'est une période de stabilité politique, de paix sociale et d'organisation de la production agricole. En 1400, la population a diminué de moitié par rapport à 1200. La peste bubonique est responsable de cette chute, au moins en grande partie. Il faut néanmoins en relever la coïncidence avec la dislocation de l'empire mongol et la chute de la dynastie Yuan.

Sous la dynastie Mandchoue des Qing (1644-1912), on observe encore une coïncidence entre la croissance démographique, la paix sociale et l'organisation de la production, en particulier agricole. La population double entre 1751 et le milieu du XIXe siècle. En revanche, entre 1851 et le milieu du XXe siècle, la croissance démographique est divisée par 7. Le régime impérial vacille et l'anarchie s'installe à partir de 1912. La République populaire est instaurée en 1949.

Pendant le XXe siècle, la part de la population européenne, comparée à la population mondiale, diminue fortement. Elle est désormais inférieure à 10%. En maintenant notre hypothèse, nous en déduisons que les forces d'attraction ne sont plus les mêmes qu'autrefois. Elles se diversifient. En Bretagne, l'attraction des voisins européens diminue par rapport aux influences des sociétés extra-européennes.

Formulons la sous-hypothèse n° 5 sous forme de deux propositions.

**Proposition 5-1 : Une variation démographique à la baisse favorise le séparatisme et le nationalisme.**

**Proposition 5-2 : Les forces d'attraction qui s'exercent sur la Bretagne se sont diversifiées. La France n'est plus le seul attracteur.**

## DES « FORCES » AUX « CHAMPS »

Les différentes forces physiques que nous venons d'évoquer posent problème.

Prenons la gravitation. Elle dépend de la masse de deux corps indépendants l'un de l'autre. Cette force agit instantanément, à distance et à travers le vide. Une relation entre deux objets sans aucune médiation est contraire aux présupposés classiques. Newton lui-même jugeait son hypothèse insatisfaisante. Comment peut-il y avoir, dans le vide, une action à distance ? Comment s'ajuste la force d'attraction ? Où se trouve la connaissance de la masse de l'autre corps et de son éloignement ? Une solution a été trouvée à ce mystère. C'est le passage de l'idée de force gravitationnelle à l'idée de champ d'attraction. La modification des propriétés de l'espace intermédiaire s'explique par l'existence de « champs ». L'électricité et le magnétisme posent des problèmes du même ordre. Les propriétés du vide sont modifiées en présence de particules chargées électriquement, d'où la notion de champ électrique. Le passage d'un courant électrique induit un champ magnétique et vice-versa. Le concept de champ électromagnétique unifie les phénomènes électriques et les phénomènes magnétiques. Les ondes électromagnétiques se déplacent dans le vide à la vitesse de la lumière.

La notion de force, nous venons de le voir, est problématique ; la notion de distance l'est tout autant. L'espace est une notion floue. A priori, c'est une étendue vide mais mesurable. Cette mesure n'est peut-être qu'une perception subjective. L'espace en effet n'est pas un objet à part. La physique moderne relativiste relie l'espace au temps. Différents espaces ont été conçu par les mathématiciens et les physiciens. Le nombre de dimensions, qui était de trois dans la conception géométrique classique, de 4 dans la conception relativiste de l'espace-temps, peut augmenter jusqu'à 10, 11 ou même 26 dans les théories récentes du « Tout ».

L'espace, c'est l'absence de matière. Il est contradictoire d'appréhender les propriétés du vide par les propriétés de la matière ou de l'énergie. La difficulté, nous venons de le voir, a été contournée en considérant que les propriétés de l'espace vide se dévoilent à nous sous la forme de *champs*.

La notion de champs a été exploitée au-delà des sciences physiques. Au début du XXe siècle, l'embryologiste Ross Granville Harrison a expliqué la différenciation des cellules souches embryonnaires par l'existence de *champs morphogénétiques.* Puisque toutes les cellules possèdent le même patrimoine génétique, une influence englobante semble déterminer celles qui seront des cellules de la main, de l'estomac ou du cerveau. Les expériences sur le développement des cellules embryonnaires isolées vont dans ce sens. Le concept a été repris soixante ans plus tard par le biologiste Rupert Sheldrake[47] sous le nom de *champs morphiques*, producteurs de formes. Les formes produites peuvent être physiques, mentales, sociales. La cohérence de chaque niveau d'organisation, de la molécule à l'individu, à la communauté, à la biosphère, dépend de champs organisateurs. Ces champs sont présents *dans et autour du système qu'il organise et constitue un modèle vibratoire d'activité qui interagit avec les champs électromagnétiques et quantiques du système*. Les champs morphiques contiennent une mémoire collective par résonnance avec les systèmes passés similaires. Selon Sheldrake, il existe aussi des *champs moteurs* qui expliqueraient la toile de l'araignée, le nid de l'oiseau et le voyage de l'anguille. Retenons l'idée que **les cohérences communautaires pourraient s'expliquer par des champs d'ondes, champs mémoriels, champs organisateurs et champs moteurs**.

Des penseurs comme Henri Bergson ou Alfred North Whitehead, ainsi que de nombreux neurobiologistes, se sont penchés sur la mémoire et les souvenirs. Les empreintes mémorielles du cerveau n'ont jamais été localisées précisément. D'autre part, on ne voit pas comment les retrouver sans un système de classement, sachant en plus que les cellules se renouvellent régulièrement. Des éthologues ont montré que l'apprentissage d'une chenille se transmet au papillon alors que le système nerveux a été complètement modifié. Il se pourrait que les souvenirs soient récupérés par connexion avec des champs mémoriels et non par des structures matérielles du cerveau.

Avec la notion de champs d'attraction, nous sommes partis des sciences « dures » pour nous aventurer au-delà. Les postulats de Sheldrake ont suscité de grandes controverses. Je suis bien conscient que l'outre-science peut être taxée d'anti-science. Les hypothèses sur des champs non physiques sont en contradiction avec une doxa matérialiste qui considère que les connaissances, la mémoire et la créativité sont forcément inscrites dans la matière, qui est forcément celle des neurones de chaque individu.

Malgré cette transgression de la doxa scientifique actuelle, la notion de champs est assurément féconde pour notre étude. L'exploration du sentiment d'appartenance et de la cohésion de groupe est l'exploration de la distance entre les humains. Les propriétés de l'espace et du temps ne peuvent être limités à des présupposés, fussent-ils ceux de la science du début du XXIe siècle.

*Septième chapitre*

# EN QUÊTE D'ÉNERGIE VITALE

*Dans ce chapitre, nous adoptons encore un nouveau point de vue (!) pour tenter de cerner le sentiment d'appartenance et la cohésion de groupe. Cette fois-ci, la question est de savoir si les phénomènes vitaux concernent non seulement les individus mais aussi les communautés humaines. La communauté bretonne est-elle un superorganisme, faisant partie de l'univers du vivant ?*

## LA BRETAGNE EST-ELLE UN ÊTRE VIVANT ?

La vie est pour nous une évidence. Tout le monde croit pouvoir faire la différence entre un être vivant et la matière inerte. Toutefois, les choses ne sont pas si simples. La frontière entre l'inanimé et l'animé n'est pas nette. Cette frontière nous intéresse, parce que nos questions, de l'identité à la cohésion de groupe, ne concernent a priori que les êtres vivants.

Où et comment la vie se dégage-t-elle de la matière inanimée ? Tout n'a pas été éclairci, loin s'en faut, mais peu à peu le voile se soulève. La première grande expérience, et la plus connue, est celle que S. Miller et H.C. Urey réalisèrent à l'Université de Chicago en 1953[48]. Dans un flacon stérile, ils recomposent ce qu'ils considèrent comme l'atmosphère primitive de la terre : un mélange inhospitalier de méthane, d'ammoniac et de vapeur d'eau, secoué d'orages incessants que nos deux chercheurs simulent par des éclairs électriques. Au bout d'une semaine, ils récoltent dans leur flacon de petites molécules organiques, et en particulier des acides aminés, constituants primaires des protéines. Cette expérience, qui a provoqué un grand émoi dans les milieux scientifiques, a été répétée plusieurs fois, avec les mêmes résultats.

Quelques années plus tard, S. Fox démontre que, à haute température, se produisent des enchaînements d'acides aminés. Les chaînes présentent des propriétés catalytiques[49]. Puis L. Orgel réussit à polymériser des nucléotides modifiés, dans des conditions très douces : chaleur solaire, catalyseurs métalliques ou argileux. Il obtient ainsi des macromolécules, ancêtres des acides nucléiques. Ces macromolécules assurent la vigueur de certaines réactions chimiques, et même leur propre reproduction par auto-catalyse[50]. Plus récemment, les chercheurs ont montré que les réactions autocatalytiques forment des structures complexes qui s'apparentent aux structures vivantes.

La catalyse est la propriété que possèdent certaines molécules de favoriser des réactions chimiques sans s'y détruire. Les catalyseurs impulsent un mouvement contraire à l'entropie et produisent des structures organisées. Ils prolifèrent dans les réactions impliquant des atomes de carbone. Les processus activés peuvent être cycliques ou linéaires. Ils peuvent se répliquer et se maintenir dans la durée. Les systèmes dissipatifs, étudiés par Ilya Prigogine[51], échangent avec leur environnement de la matière et de l'énergie. Ils s'ordonnent au lieu de se désordonner.

Les découvertes scientifiques décrites ci-dessus démontrent qu'il n'existe sans doute pas de frontière nette entre l'animé et l'inanimé, entre la physique et la biologie. En revanche, nous pouvons en tracer des caractéristiques générales. Nous retiendrons, pour l'instant, le critère suivant : ***Un être vivant, pendant une durée limitée et compte tenu de conditions favorables, est capable de se maintenir en l'état. Il puise son énergie et ses composants dans son environnement.*** Les termes utilisés par les scientifiques sont les suivants : autopoïèse, auto-référence, autocatalyse.

La capacité à se maintenir en l'état, ou à retrouver son état initial après une dégradation, peut s'exprimer d'une autre façon : le maintien d'une identité. Cela suppose une distinction entre « soi » et le monde extérieur. La vie se présente d'abord sous une forme cellulaire. Une cellule vivante, c'est un *intérieur*, séparé de l'*extérieur* par une membrane. La vie est apparue il y a plus de 3,5 milliards d'années, sous la forme de cellules simples. Les premiers êtres vivants ressemblaient à nos cyanobactéries. Elles échangeaient leur matériel génétique et se multipliaient, sans que l'on puisse regrouper ces deux activités en une seule que l'on nommerait *reproduction*. Ensuite sont apparues des cellules dont le matériel génétique était confiné dans un sac, le noyau cellulaire. Puis les cellules à noyaux se sont amassées, se sont organisées, se sont spécialisées, ont créé des organismes.

La capacité à se maintenir en l'état implique une adaptation à l'environnement extérieur, et la possibilité de réagir aux modifications de cet environnement. Pour un individu, se maintenir en l'état est la capacité à guérir. Pour une population, se maintenir en l'état est la capacité à remplacer les individus morts tout en conservant une même culture.

L'algorithme darwinien *reproduction-variation-sélection* est la boucle de rétroaction qui permet à la vie de se maintenir et de se perpétuer. La boucle va plus loin qu'une action sur soi-même. Les évolutions de l'environnement modifient les êtres vivants, mais l'inverse, aussi, est vrai. Les êtres vivants modifient l'environnement. Ainsi les bactéries ont-elles créé des roches, par exemple les stromatolithes australiens il y a plus de 3 milliards d'années. Le charbon et d'autres composants de la croûte terrestre sont d'origine organique. L'air que nous respirons a été créé et ajusté par la vie. Il y a 2 milliards d'années, une manière efficace de capter l'énergie solaire, nommée photosynthèse, est apparue. Elle a libéré massivement de l'oxygène. La composition de l'air en a été radicalement transformée. Les êtres vivants qui se sont adaptés à la présence d'oxygène gazeux ont pu vivre à la surface de la planète. Pour les premières formes de vie, les bactéries dites anaérobies, anciennes maîtresses des lieux, l'oxygène est toxique. Elles ont trouvé refuge ailleurs : dans les boues, dans nos intestins, dans les eaux souterraines. Aujourd'hui comme hier, les évolutions de l'atmosphère et du climat sont liées aux activités des êtres vivants. L'évolution des océans et de la surface terrestre dépend de la captation du carbone d'origine organique.

Le détour que nous venons de faire ne nous a pas éloigné de notre sujet. **La vie, caractérisée par le maintien en l'état, peut se définir en trois mots : une identité, une mémoire et une durée.** L'identité est ce vers quoi l'être vivant retourne, quand la maladie, la blessure ou le traumatisme l'en a éloigné et quand les conditions le permettent. La mémoire est le chemin qui permet d'y retourner. La durée est le temps pendant lequel ces mécanismes fonctionnent.

## L'INDIVIDU ET LE COLLECTIF

Les groupes humains se différencient par des passés différents, mais aussi par des langues, des traditions, des comportements. Entre l'amazonien réducteur de tête et le paisible paysan suisse, il existe des différences génétiques et des différences culturelles. Le fait que ce soit l'amazonien qui réduise les têtes, et non le paysan suisse, dépend-il d'un patrimoine génétique, ou seulement d'une culture ? Les deux facteurs s'enchevêtrent-ils, la culture s'expliquant par les gènes ? À cette question importante, évitons les réponses toutes faites, trop faciles pour être honnêtes. Nous disposons, pour aborder cet épineux problème, de quatre angles d'attaque. Le premier est celui des enfants sauvages. Le second est celui des jumeaux élevés isolément. Le troisième est celui des comportements héréditaires. Le quatrième est celui des comportements acquis.

### LES ENFANTS SAUVAGES

Ces enfants, abandonnés dès leur plus jeune âge par leurs parents, ont survécu loin de la société humaine. Le nombre relativement restreint de sujets étudiés empêche d'énoncer une quelconque vérité statistique. Nous devrons nous contenter de rassembler quelques observations concordantes, précieuses pour notre étude.

Ce qui frappe d'abord l'observateur, c'est la pauvreté ou les carences dans des réactions considérées comme naturelles.

Chez Victor, l'enfant sauvage capturé en Aveyron à la fin du XVIIIe siècle, le docteur Itard constate avec stupeur une absence de discrimination entre le chaud et le froid. Victor peut saisir des tisons ou des châtaignes entre les braises du feu, et être impassible sous les averses les plus froides. Il reste indifférent à un coup de pistolet tiré près de lui, alors qu'il réagit au bruit d'une noix que l'on brise derrière son dos. Il ne présente aucune réaction aux odeurs les plus puissantes. Quant à l'instinct sexuel, chez Victor comme chez tous les autres enfants sauvages, il ne se manifeste que par quelques pulsions imprécises. Enfin, ils sont tous quadrupèdes, ce qui laisse supposer que, si la station debout est entrée dans les mœurs, elle n'est pas entrée dans les gènes.

La deuxième observation est la capacité d'adaptation de ces enfants ; une capacité qui leur permet des performances inexplicables. La plupart d'entre eux sont doués d'une acuité visuelle hors du commun, en particulier dans l'obscurité. C'est le cas de Victor, mais aussi d'Amala et Kamala, les enfants-loups indiens. D'autres font preuve d'une extrême sensibilité olfactive ou auditive, quoique cette sensibilité puisse être sélective, comme dans le cas déjà cité de Victor, le sauvage de l'Aveyron. L'adaptation alimentaire est étonnante. Les enfants vivant avec des loups sont le plus souvent carnivores. Les enfants vivant avec des herbivores sont végétariens. Certaines exceptions, comme l'enfant-loup de Kronstadt, eurent un menu inexplicablement moyen, mi-carnivore, mi-herbivore. Il existe des cas extrêmes, comme celui de l'enfant-mouton d'Irlande, capturé en 1672, ou de la fille de Kranenbourg, capturée en 1717, qui tous deux se nourrissaient d'herbe. On peut aussi citer le cas de Peter, le sauvage du Hanovre, découvert en 1731, qui préférait l'écorce des jeunes pousses aux plats civilisés. Ces cas posent quelques questions fondamentales sur nos normes diététiques, ainsi que sur le potentiel d'adaptation de l'appareil digestif humain.

Les enfants sauvages s'adaptent complètement aux comportements de leur famille adoptive. Les enfants-loups sortent de leur torpeur à la nuit tombée, hurlent, ne supportent pas les vêtements. Dina Sanichar, un enfant-loup indien, s'aiguisait les dents sur des os. Amala et Kamala, deux autres enfants-loups, lapent leur boisson, déterrent les charognes. Les deux fillettes courent à quatre pattes avec une étonnante agilité. L'adaptation morphologique en découle : elles ont d'épaisses callosités aux mains, aux genoux et aux coudes.

La grande leçon à tirer de ces observations sur les enfants sauvages est que la nature humaine n'est pas aussi stable ni aussi étriquée que nous l'imaginons. Étant donné que les chats, les chiens, et tous les animaux domestiques élevés au contact de l'homme conservent leur cri, leur démarche de quadrupèdes ainsi que leur rythme d'activité, il serait logique de trouver au moins le même conservatisme chez un humain élevé au contact des animaux. Bref, les enfants sauvages nous déçoivent sur notre propre espèce. Pour qu'un humain se montre humain, qu'il marche sur deux pieds, qu'il parle, qu'il soit capable de rire et de fonder une famille, il faut que ses potentialités soient réveillées et dynamisées par un élément extérieur : l'autre humain.

Ne surestimons pas la permanence des comportements animaux. Les curieuses carences observées chez les enfants sauvages peuvent aussi s'observer chez des animaux sociaux privés de toute société. Chez les fourmis isolées, les activités de soin, comme la nourriture des larves ou le nettoyage des nymphes, n'apparaissent pas ; ce comportement est pourtant naturel et constant chez les animaux en groupe[52].

## LES VRAIS JUMEAUX

Ces individus sont, d'un point de vue génétique, strictement identiques. Des recherches sur les corrélations entre les quotients intellectuels (Q.I.) de jumeaux, élevés ensemble ou séparément, ont été effectuées. Voici quelques chiffres établis par le professeur Debray-Ritzen, chef du service de psycho-pédiatrie à l'hôpital des Enfants-Malades à Paris[53].

| Situations | Coefficients de corrélation des Q.I. |
|---|---|
| Vrais jumeaux élevés ensemble | 0,87 |
| Vrais jumeaux élevés séparément | 0,75 |
| Parents naturels et leurs enfants (vivant ensemble) | 0,50 |
| Parents naturels et leurs enfants (vivant séparés) | 0,40 |
| Parents adoptifs/enfants adoptés | 0,20 |

De ces observations sur le Q.I., nous pouvons conclure que, ni la génétique, ni l'éducation, ne peuvent expliquer à elles seules les aptitudes d'un individu. Le cas des jumeaux vrais élevés séparément conforte l'existence d'une hérédité des facultés intellectuelles. Notons toutefois que l'héritabilité du QI est, somme toute, assez faible. Au bout de deux ou trois générations, la corrélation entre les Q.I. des parents adoptifs et enfants adoptés dépasse la corrélation entre les aptitudes des parents et enfants biologiques.

## LES COMPORTEMENTS HÉRÉDITAIRES

L'hérédité des comportements n'est pas facile à appréhender. Les enfants agressifs sont souvent issus de parents eux-mêmes agressifs, sans qu'il soit possible d'affirmer que l'identité de comportement serait un héritage culturel, génétique ou épigénétique.

Nous allons encore aborder la question par l'observation des animaux. W.C. Rothenbulher a montré qu'un gène commande certains comportements des abeilles, et en particulier le comportement de nettoyage et d'extraction des cadavres. En croisant des abeilles « propres » et des abeilles « non hygiéniques », Rothenbulher a obtenu des résultats conformes aux lois de la génétique, avec par exemple des hybrides intermédiaires [54].

Le chant d'appel du grillon mâle peut être analysé et décomposé. Ce cri est inné. En effet, même si une larve est isolée, et que le jeune est élevé après avoir été privé de l'audition, le grillon devenu adulte possédera le même chant que ses parents. Ce chant diffère d'une espèce à l'autre. Si l'on croise l'espèce *Téléograllus oceanicus* avec *Teleograllys commodus*, on obtient des hybrides qui ont un chant hybride[55].

Des études ont été faites sur l'héritabilité du comportement des animaux domestiques[56]. Chez le poulet de chair, ces études ont montré une héritabilité de l'aptitude à la dominance de 0,16 à 0,28, ou de l'activité locomotrice de 0,36 à 0,38.

Il n'est pas nécessaire d'aller chercher trop loin des exemples de comportements héréditaires animaux. Chacun sait qu'il existe, chez les chiens, des différences de sensibilité et de caractère selon les races. Les techniques d'élevage s'y adaptent.

Une telle recherche sur l'homme est bien sûr très délicate, et toute désinvolture en ce domaine comporte un risque de dérapage politique et moral. Prenons un exemple qui nous fera mesurer la prudence qui s'impose. C'est celui de la répartition des marqueurs sanguins. Ces caractères, qui à priori ne sont pas modifiables par l'action du milieu, présentent un intérêt indiscutable pour l'évaluation des migrations historiques. Mais leur étude n'échappe pas aux préjugés. C'est ainsi qu'un chercheur, L. Bourdel, a pu établir et publier en 1960 des corrélations entre les groupes sanguins et des modèles de comportement[57]. Les populations dans lesquelles prédomine le sang A seraient *« les peuples les plus sensibles et les plus créateurs, facteurs d'évolution dans le monde »*. Ceux dans lesquels prédomine le groupe O seraient « *les peuples les plus sociables, commerçants et diplomates* ». Les peuples ayant une forte proportion de sang B seraient *« traditionalistes par essence »*.

Quelques faits troublants viennent renforcer ces affirmations. Deux généticiens, J.A. Beardmore et F. Karimi-Boosherhi ont étudié la répartition des groupes sanguins selon les groupes sociaux[58]. Travaillant sur pas moins de 10 000 échantillons provenant du Sud-Ouest de l'Angleterre, ils ont constaté qu'il existe une corrélation entre le groupe sanguin et le niveau de revenus. Plus on s'élève dans l'échelle des revenus, plus le groupe A est représenté. Pour les groupes O et B, le rapport est inverse : plus on s'élève et moins ces groupes sont représentés.

Le filet se resserre. Les théoriciens de la race, discrédités par le nazisme, redressent la tête. La science moderne nous suggère que les Occidentaux, chez lesquels le groupe A est bien représenté, sont des dominateurs par essence ; la race des seigneurs, en quelque sorte. Les Africains sont des individus sympathiques mais légers ; et la révolution russe n'est qu'une incongruité, les Slaves étant d'indécrottables conservateurs.

Et puis voilà que, en regardant plus loin et en évitant de se laisser distraire par cette puissante logique, l'édifice se lézarde et croule. Les deux généticiens anglais, même s'ils constatent dans d'autres groupes sociaux une tendance semblable à celle qu'ils ont mise en évidence dans le Sud-Ouest anglais, n'obtiennent pas partout des chiffres comparables. Les pourcentages sont très sensiblement différents chez les natifs du Yorkshire, ce qui laisserait supposer que le phénomène dépend d'autres facteurs que la seule hérédité. Il est peut-être localisé ; il est en tout cas irréductible à une loi mathématique ou biologique.

À vrai dire, les populations qui présentent la plus forte proportion de sang A ne sont pas les Occidentaux, mais les Aborigènes d'Australie. A l'instar des Bretons et de toutes les petites communautés humaines, les premiers Australiens ne peuvent être considérés comme des *« facteurs d'évolution dans le monde »*. Et puis, si le groupe A représentait une mutation favorable, force serait de considérer qu'il s'agit là d'une mutation récente ; le surhomme ne peut être que postérieur à l'homme. Or il faut savoir que les marqueurs sanguins ABO sont présents chez des populations de singes, et que donc nos cousins primates peuvent fort bien, du moins certains d'entre eux, se prévaloir du groupe A.

## LES COMPORTEMENTS ACQUIS

Il est très commun d'entendre dire que les animaux agissent selon leur seul instinct, et que les hommes agissent selon leur raison ou leur éducation. C'est là une caricature de la réalité. Bien des comportements humains s'expliquent par l'instinct. Vice-versa, bien des comportements animaux s'expliquent par une éducation. Prenons trois exemples.

Le chant des oiseaux est généralement inné. Toutefois, chez certaines espèces, le chant ne se développe ni ne s'harmonise que chez les jeunes qui ont au préalable entendu leurs parents. Dans le cas contraire, il reste approximatif. Il peut même être passablement discordant.

Sur la presqu'île japonaise de Koshima, il s'est trouvé un macaque qui, ayant trempé un tubercule dans l'eau d'un ruisseau côtier, y trouva un moyen simple de le débarrasser du sable qui le polluait. D'autres l'imitèrent. Un jour, un autre macaque alla tremper son tubercule dans l'eau de mer et trouva l'assaisonnement satisfaisant. Il prit l'habitude d'aller laver ses aliments dans la mer avant de les déguster. Cette habitude s'est transmise, non seulement de parent à enfant, mais à tous les membres du groupe[59].

Le troisième type d'acquisition est plus inattendu. On connaît les célèbres observations de Konrad Lorenz sur les oisons. Ceux-ci, lorsque le premier être animé qu'ils aperçoivent en sortant de leur œuf est un humain, s'attachent à lui comme s'il était leur père ou leur mère. Cet attachement ne peut ni se briser, ni s'oublier. Ce phénomène, appelé *empreinte*, a aussi été observé chez d'autres espèces que les oiseaux. L'empreinte n'affecte pas seulement le très jeune animal. Il peut concerner les parents. Ainsi, si l'on remplace les œufs d'un couple inexpérimenté de petits poissons cichlidés par des œufs d'une autre espèce, ce couple adopte les petits comme leurs propres enfants. Mais, à l'avenir, il n'acceptera plus jamais ses propres petits.

Le premier exemple, celui des oiseaux, illustre le phénomène d'**imitation**. Il suffit d'observer un jeune enfant qui répète les mots qu'il entend et imite les gestes de ses parents pour admettre que l'imitation est un processus d'acquisition très commun dans l'espèce humaine. Ce type d'acquisition explique en grande partie la transmission culturelle : transmission de l'accent, de la langue, de la démarche, des coutumes, des émotions. L'enfant devient en partie ce qu'il a imité. Plus tard, l'homme se choisira un idéal, mais le plus souvent un modèle idéal, un modèle à approuver ou à admirer, avant tout à imiter.

Le deuxième exemple, celui des macaques, correspond à l'**apprentissage**. Ce type d'acquisition est, lui aussi, très commun dans l'espèce humaine. Il existe, chez le petit d'homme comme chez le jeune animal, une curiosité naturelle, une soif de découverte que chacun peut aisément remarquer. Le fait que cette curiosité s'estompe chez l'animal adulte alors qu'elle se conserve chez l'homme a été expliqué par les biologistes comme un processus de *néoténie*. L'espèce humaine serait une espèce animale mutante, dans la mesure où elle conserve à l'âge adulte des facultés, un potentiel et aussi une morphologie de jeune animal. Morphologiquement, le caractère *enfantin* de l'homme s'observe par son absence de pelage, la faiblesse relative de sa musculation, et aussi par la forme de son crâne, qui ressemble étonnamment à celui d'un fœtus de singe.

Les cas d'**empreinte** chez l'homme sont plus difficiles à percevoir, mais ils ne doivent pas être négligés pour autant. Des études faites sur les singes montrent que le destin social d'un individu peut se jouer en quelques heures, peut-être en quelques minutes. Si, après la mise-bas, il y a un retard dans le contact mère-enfant, le petit singe présentera toute sa vie des difficultés à trouver une place dans la société. Il sera solitaire, incapable de supporter la hiérarchie sociale. Généralement, il finit par se faire tuer par les autres singes. Il est vraisemblable que de tels phénomènes, moins brutaux mais tout aussi réels, se produisent dans l'espèce humaine.

L'empreinte permettrait d'expliquer, du moins en partie, la stabilité des communautés par rapport aux États. Les imitations et les expériences d'un individu peuvent être orientées par une dictature. Et pourtant il existe une inertie dans l'évolution des comportements. La haute société reconnaîtra toujours un *nouveau riche*, quel que soit son application à renier ses racines ; il aura toujours ce que l'on appelle des manières de *parvenu*. Inversement, un aristocrate aura beau maudire les siens et se durcir les mains dans des travaux pénibles, ses compagnons prolétaires reconnaîtront ses origines par des détails : un maintien, une réaction. De même une nation pourra être interdite ou méprisée pendant des siècles, haïe par ses propres ressortissants, elle se maintiendra néanmoins, malgré tous les calculs. Elle peut s'affirmer après plusieurs générations silencieuses.

## L'IMBRICATION ENTRE INNÉ ET ACQUIS

À partir de ce que nous venons de voir, nous pouvons tirer plusieurs conclusions, à la fois complémentaires et symétriques.

La première de ces conclusions est que l'inné conditionne les acquis. Cela est évident dans le cas des malformations génétiques. Un aveugle de naissance aura des acquis différents de celui d'un voyant. Sans même aller jusqu'aux cas extrêmes, un individu malingre adaptera ses imitations et ses apprentissages à ses possibilités physiques ; il accumulera des acquis différents de ceux d'un athlète. Les différences morphologiques qui existent entre un Scandinave et un Pygmée créeront inéluctablement des disparités dans leurs acquisitions, même si ceux-ci sont élevés comme des frères.

Le génome influe aussi sur les aptitudes. Il existe chez les mouches drosophiles un gène qui conditionne l'aptitude à un apprentissage. Certaines populations mutantes ne peuvent être conditionnées à un stimulus donné ; d'autres réagissent mais n'apprennent rien ; d'autres encore apprennent mais n'utilisent pas l'information[60]. Les neurobiologistes ont fait le lien entre les aptitudes et l'existence de substances, les enzymes en particulier, dont la synthèse est sous contrôle génétique. Il n'y a aucune raison pour que les variations génétiques entre populations humaines ne concernent que des différences morphologiques.

La deuxième conclusion est moins évidente : les acquis conditionnent l'expression de l'inné. Cet enseignement nous est inspiré par le cas des enfants sauvages, qui présentent de graves carences dans des penchants, des réactions ou des comportements que nous considérons comme *naturels*. D'autre part, si le cas des vrais jumeaux nous suggère que les facultés intellectuelles sont en partie innées, il faut avoir acquis un minimum de connaissances pour qu'elles puissent s'exprimer. Un enfant ne peut révéler son intelligence que devant un problème qui en requiert.

Il existe par ailleurs des altérations de l'inné dues à des corruptions dans l'acquis. Une éducation ou des expériences de vie peuvent expliquer une perte de l'instinct maternel, des perversions sexuelles, ou une dépravation du goût. Les cichlasmes sont des poissons africains, proches des perches. Si l'on introduit plusieurs couples dans le même aquarium, chacun délimite son terrain ; les affrontements sont inoffensifs, les couples restent unis et vivent en paix. Si, en revanche, il n'y a qu'un seul couple dans l'aquarium, l'ambiance se détériore entre les deux partenaires. Le mâle finit par tuer sa femelle. Toutefois, son forfait le perturbe profondément, et il devient incapable de s'accoupler de nouveau. Cet exemple est très intéressant. Bon compagnon en société, le cichlasme mâle devient automatiquement un partenaire irascible lorsque le couple est isolé. Son comportement est déterminé à la fois par ses gènes et par la structure sociale dans laquelle il vit.

Une troisième piste nous est suggérée par l'épigénétique. Les traumas de parents ou d'ancêtres peuvent s'intégrer dans le patrimoine héréditaire. Ainsi donc, les acquis des générations antérieures peuvent s'intégrer dans l'inné des générations postérieures. Les traumas et les événements marquants ne sont pas seulement individuels ; ils peuvent être collectifs. Les événements vécus en commun peuvent créer un bagage héréditaire commun. J'imagine que les afro-américains descendants d'esclaves peuvent avoir un fonds épigénétique commun.

## LES SYNCHRONISATIONS

Nous avons rencontré le phénomène de synchronisation au premier chapitre, lorsque nous avons observé les nuées d'oiseaux. Les calculs réalisés sur les mouvements coordonnés des bécasseaux variables montrent que les réactions des individus en groupe sont plus rapides que les mouvements réflexes d'un individu isolé. L'idée que tous les individus imitent un meneur qu'ils suivent par la vue ou par un autre organe est infirmé par le fait que le meneur n'est plus le même lorsque le mouvement collectif change d'orientation. Il n'y a pas un chef d'orchestre qui bat la mesure et dirige les musiciens.

Chez les poissons, la *ligne latérale* est un organe sensoriel particulier. Il permet à l'animal de détecter des proies, des prédateurs ou des semblables. Il lui permet aussi de ressentir les propriétés de son environnement liquide. La ligne latérale a parfois été considérée comme l'organe permettant les synchronisations des bancs de poissons. Toutefois, rien ne permet de l'affirmer. De toute façon, cet organe sensoriel n'existe pas chez les oiseaux qui ont aussi des comportements synchronisés.

Les avantages de la synchronisation sont connus, en particulier face aux prédateurs. Le *pourquoi* est expliqué, mais le *comment* reste mystérieux. Nous avons croisé Wayne Potts dans le premier chapitre. Dans sa publication dans la revue *Nature*, il a émis l'hypothèse d'une *onde de manœuvre*. Cette hypothèse, qu'il pose pour les nuées de bécasseaux variables, peut être étendue aux bancs de poissons. Aucune raison n'empêche de l'étendre à d'autres phénomènes de synchronisation, dans d'autres espèces. Wayne Potts l'étend d'ailleurs aux humains. Lors d'un ballet célèbre aux USA, il a calculé que la vitesse de transmission des mouvements synchronisés est supérieure à la vitesse d'un mouvement réflexe.

Nous avons avancé le mot de connivence pour notre sous-hypothèse N°2. Ce terme, qui englobe d'autres mots comme « empathie », « télépathie », « sympathie », paraît réservé à des êtres supérieurs comme l'homme, et éventuellement à ses animaux familiers. L'impératif sociétal de réprimer les instincts au profit d'une éthique contractuelle nous pousse à rejeter – ou pour le moins à sous-estimer – les connivences communautaires qui nous viennent de notre être biologique.

Passons outre l'impératif sociétal. Les connivences existent et pourraient bien aussi être des synchronisations. Celles-ci sont observées chez les oiseaux, les poissons et d'autres êtres vivants plus « primitifs ». **La connivence communautaire pourrait bien être aussi ancienne que la vie elle-même.** Elle pourrait être plus ancienne que la conscience, et même que la capacité à ressentir. Les connivences ne sont pas déterminées. Il n'est écrit nulle part que tel homme et telle femme doivent se rencontrer, vivre ensemble, avoir des enfants. Il n'est écrit nulle part que la nuée de bécasseaux sera composée de tel ou de tel oiseau. Il n'est écrit nulle part que telle sardine sera la première, durant quelques secondes, d'un banc de plusieurs kilomètres. Ainsi en est-il des communautés humaines. Il n'est écrit nulle part qu'elles seront composées de tels ou de tels individus. Pourtant, comme les nuées d'oiseaux ou les bancs de poissons, elles établissent des connivences.

Le survol des synchronisations animales, ici et dans le premier chapitre, nous a fait toucher du doigt la **relativité de ce qu'on nomme un *individu***. Notre cerveau résulte de la coopération entre des millions de cellules nerveuses. Chaque homme résulte d'une synchronisation entre plusieurs organes, dont le cerveau. Les organes ne pourraient pas vivre les uns sans les autres. Les nuées d'oiseaux et les bancs de poissons nous montrent qu'au-dessus de l'individu existent des communications extra-sensorielles. Il n'y a aucune raison pour que les humains soient dépourvus de capacités de synchronisations ou d'*ondes de manœuvre*, qui fonctionneraient pour les couples, les familles, les communautés, et même l'espèce.

# LES ASSOCIATIONS

Des êtres vivants peuvent se synchroniser, comme nous venons de le voir. Ils peuvent aussi s'associer.

Les éponges ont longtemps été considérée comme des plantes. À vrai dire, ce sont des *animaux coloniaux*. Cela signifie qu'une éponge est composée d'un ensemble d'êtres vivants de la même espèce. Les cellules qui la composent peuvent survivre lorsqu'elles sont isolées, par broyage par exemple. Elles se réassocient dès que possible pour former une nouvelle éponge. Les cellules des éponges possèdent trois caractères, qui sont chez l'homme des vertus communautaires : (1) elles sont autonomes ; (2) elles s'associent volontiers à leurs congénères ; (3) elles peuvent se spécialiser pour le bien commun.

Les associations existent entre des espèces différentes. Lorsque l'association est profitable à l'un et neutre pour l'autre, on parle de commensalisme. Les éponges connaissent ce type d'association. Elles peuvent abriter divers animaux commensaux, comme des crevettes ou des poissons.

Quand les deux associés trouvent un avantage à l'association, on parle de mutualisme. Là encore, les éponges peuvent servir d'exemple. Certaines d'entre elles s'associent à des bernard-l'hermite. L'éponge *Suberites Domuncula* se colle sur la coquille du petit crustacé et dégoûte les prédateurs de l'attaquer ; en retour, elle profite des reliefs de son repas. D'autres espèces d'éponges s'associent à des bactéries ou à des algues.

Lorsque l'association est profitable à l'un et néfaste à l'autre, on parle de parasitisme. Les éponges connaissent aussi cette association. Elles peuvent parasiter des huîtres jusqu'à percer leur coquille.

L'éponge, on le voit, est l'être le plus associatif qui soit. Commensalisme, mutualisme et parasitisme se rencontrent aussi chez les humains. Quand l'association devient vitale pour les associés, on parle de symbiose. La symbiose est considérée par certains biologistes comme un moteur de sauts évolutifs depuis les origines de la vie. L'hypothèse de la microbiologiste américaine Lynn Margulis[61] est que la cellule eucaryote, c'est-à-dire la cellule à noyau, est le fruit d'une symbiose entre plusieurs cellules procaryotes. Certaines de ces cellules primitives sont devenues les mitochondries, petites centrales énergétiques flottant dans le cytoplasme des cellules à noyau.

La symbiose est une technique gagnante de l'évolution biologique. Les organes des animaux évolués et des humains seraient le fruit d'associations qui permettent d'accéder à des fonctions supérieures. Selon la biologiste, *« Il n'est pas absurde de postuler que la conscience (...) naquit peut-être de la concertation de millions de microbes qui mirent leurs facultés en commun et évoluèrent pour devenir le cerveau humain »*.

Le cerveau n'existe pas tout seul... Il lui faut un système digestif et un système respiratoire pour exister dans la durée. Il lui faut un squelette et des muscles pour exister dans l'espace. L'individu est un superorganisme qui rassemble toutes les fonctions vitales.

Lynn Margulis poursuit son raisonnement. *« Les êtres humains, comme les cellules du microcosme avant eux, doivent coévoluer avec les plantes, les animaux et les microbes. Nous finirons probablement par nous réunir en communautés cohérentes, soutenues par la technologie, qui seront beaucoup plus étroitement organisée qu'une famille, nucléaire ou étendue, ou même que les États-nations, ou les gouvernements et les sujets des superpuissances »*.

La vie évolue selon deux voies. L'une de ces voies est l'évolution correspondant à l'algorithme darwinien *reproduction-variation-sélection.* La seconde est l'évolution par symbiose, qui crée des superorganismes. On peut se poser la question de savoir si les éponges, communautés de cellules, ou les fourmilières, communautés de fourmis, sont des êtres vivants à part entière. Pour les êtres symbiotiques, la réponse est forcément positive. Le lichen, association symbiotique d'une algue et d'un champignon, est une plante véritable. Les agriculteurs savent que les plantes de la famille des légumineuses vivent en symbiose avec des bactéries qui captent l'azote de l'air. Les humains vivent en symbiose avec des bactéries intestinales, leur *microbiote*. Nous hébergeons des bactéries sans lesquelles nous ne pourrions pas digérer nos aliments.

La question des communautés ne se pose pas comme une question secondaire. Il n'est pas possible d'individualiser la vie, il n'est pas possible d'isoler l'être vivant des autres porteurs de vie. La vie a besoin de la vie.

## SOUS-HYPOTHÈSE N°6

Le concept de superorganisme a été popularisé par James Lovelock (1919-2022) et son *hypothèse Gaïa*[62]. Parue en 1970, la thèse de Lovelock a suscité des controverses et divers développements, les uns scientifiques, d'autres philosophiques, d'autres encore mystiques. En quoi notre planète la Terre, appelée Gaïa, serait-elle un superorganisme ? Elle est composée de milliards d'êtres vivants, rassemblés dans le concept de biosphère. Ces êtres vivants partagent un biotope, c'est-à-dire un milieu de vie qui englobe l'atmosphère, l'eau des rivières et des océans, la roche qui nous porte. La biosphère et le biotope se régulent et se maintiennent en l'état comme le fait un organisme vivant.

Selon Lovelock, la Terre est étonnamment accueillante pour la vie. Les mécanismes internes qui permettent le maintien en l'état de la planète ressemblent à des mécanismes biologiques. Les humains sont particulièrement chanceux, car leurs besoins vitaux sont compliqués. Ils sont pour cette raison dépendants de l'écosystème, c'est-à-dire des ressources du sol, des eaux, des animaux, des microbes, des plantes et de leurs congénères.

Lovelock n'est pas le premier à voir la Terre comme un superorganisme. Citons seulement Léonard de Vinci (1452-1519) : *« Nous pouvons dire que la Terre possède une âme végétative, que le sol constitue sa chair, la roche ses os (...) et le va-et-vient des océans, sa respiration et son pouls »*[63].

James Lovelock est climatologue. Il constate que la teneur de l'atmosphère en oxygène est stable depuis des millions d'années. Le maintien de ce pourcentage semble résulter d'un mystérieux compromis entre tous les êtres vivants de la planète. Si le pourcentage était inférieur, les humains et les animaux mourraient asphyxiés. S'il était supérieur, ils s'enflammeraient spontanément. Les chimistes nous disent que l'oxygène aurait dû réagir avec d'autres substances pour former du gaz carbonique, des nitrates ou d'autres composés stables. La couche d'ozone, dans la stratosphère, empêche ces réactions en faisant écran aux rayons ultraviolets.

Postulons ici l'existence de superorganismes qui seraient les chaînons manquants entre nous, individus humains, et Gaïa. Dans le présent chapitre, nous avons mis le doigt sur la dimension vitale des communautés. Les nuées d'oiseaux, les fourmilières ou les associations symbiotiques d'êtres vivants s'activent, se maintiennent en l'état, se reproduisent, puisent leur énergie dans l'environnement, bref se comportent comme le ferait un individu isolé. Nous en sommes arrivés à la notion de *superorganisme*. En y regardant bien, tous les organismes, y compris des êtres vivants très simples, sont nés d'associations. L'idée que l'association possède des propriétés sans commune mesure avec celles de ses composants n'a rien d'irrationnel. Le cerveau a un niveau de conscience que n'ont pas les neurones qui le composent. Les neurones ont un niveau vital que n'ont pas les atomes qui les composent. Si, plutôt que de descendre, nous remontons l'échelle, nous voyons que la fourmilière transcende les fourmis, comme le cerveau transcende les neurones. Le comportement de la fourmilière est d'une nature supérieure au comportement de chaque fourmi. La fourmilière manifeste une volonté de pérennité qu'a priori la fourmi ne peut pas comprendre.

Nous avons constaté une pérennité de la communauté bretonne sur plusieurs siècles. Il serait très superficiel de réduire ce phénomène au hasard et à la juxtaposition de volontés individuelles. La mémoire collective a été étudiée par des chercheurs comme Maurice Halbwachs, que nous avons déjà croisé précédemment. La mémoire individuelle est influencée par l'éducation et les normes sociales. La mémoire collective peut se rapporter à une faculté différente, qui serait celle d'un superorganisme. Le groupe aurait une mémoire propre, située à un autre niveau que la mémoire de ses membres.

Nous avons vu, dans le second chapitre, l'étonnante résurgence du mégalithisme en Bretagne au XXe siècle. Dans le troisième chapitre, nous avons vu la résurgence tout aussi étonnante des entrelacs celtiques dans l'ornementation des meubles à partir de la Renaissance. Nous avons abordé l'hypothèse des mèmes dans le quatrième chapitre. Les résurgences pourraient être attribuées au stockage des mèmes, non seulement dans les éphémères mémoires individuelles, mais aussi dans la mémoire collective d'un superorganisme.

Puisque les superorganismes sont vivants, ils ont une identité, une mémoire et une durée ; on peut supposer qu'ils ressentent aussi des émotions. Les émotions collectives existent au niveau du couple, de la famille, des communautés de supporters d'une équipe de football, de partisans politiques lors d'élections, de tout un peuple lors d'une guerre. La vibration collective est une expérience que chacun a pu faire. Pourtant, dans nos sociétés, l'individu prime le collectif. L'intelligence, le savoir, la mémoire, les sentiments et les sensations sont individualisés et il est difficile de sortir de ce piège. Le concept de superorganisme nous permet d'intégrer nos expériences collectives. Les collectivités auxquelles nous appartenons varient dans l'espace et dans le temps. Nous faisons partie d'une famille, d'une entreprise, d'un parti politique, d'une communauté nationale ; mais aussi, de façon plus éphémère, de la ronde d'une gavotte lors d'un fest-noz, ou d'une équipe lors d'un match de football.

Formulons la sous-hypothèse n°6 sous forme de deux propositions.

**Proposition 6.1 : La communauté humaine bretonne est partie prenante d'un superorganisme pérenne : l'écosystème péninsulaire armoricain.**

**Proposition 6.2 : Les superorganismes présentent des phénomènes naturels d'associations et de synchronisations de leurs différents composants.**

# LES BRETONS DANS LEUR BIOTOPE

James Lovelock définit Gaïa comme un tout cohérent et harmonieux. Ce tout est composé d'une part de la biosphère, c'est-à-dire de l'ensemble des êtres vivants, et d'autre part du biotope, c'est-à-dire du milieu physique dans lequel évoluent les êtres vivants. L'un influe sur l'autre. Comment s'équilibrent les influences réciproques des Bretons et de leur biotope ?

La Bretagne offre à tous les êtres vivants, humains, animaux et végétaux, un climat humide et tempéré. Même là où le sol est de qualité médiocre, la vie est possible, sans difficulté majeure. Pour survivre ici, les hommes n'ont jamais été forcés d'y constituer une société forte et hiérarchisée. Organiser la distribution de la nourriture ou l'affectation des abris n'a jamais été une nécessité vitale. Seule une pulsion sociale ou une menace extérieure peuvent provoquer une réaction collective. En Bretagne, la nature est clémente envers tous ceux qui y vivent, les autochtones et leurs envahisseurs, la céréale et la mauvaise herbe, le mouton et le loup. Dans un écosystème où les habitants peuvent survivre en l'absence d'une autorité centrale, une mauvaise administration ne conduit pas à la tyrannie mais à l'anarchie et aux inégalités. Dans le cycle arthurien, le lien est bien marqué entre la légitimité du Roi d'une part, la paix et l'union des sujets de l'autre. Quand Mordred prend traitreusement le pouvoir, la misère s'abat sur le peuple. Cette coïncidence est hautement symbolique.

Jusqu'au XXème siècle, la paysannerie constituait l'essentiel de la population. La production et la distribution des denrées alimentaires n'apportaient pas une grande richesse au pays, mais garantissait la stabilité sociale. Les périodes de déclin et de désorganisation de la société bretonne par les guerres, les impôts excessifs ou les mauvaises administrations sont marquées par les révoltes paysannes : 1492, 1590-1597, 1675, 1718, 1788-1800.

Outre une existence dans cette nature clémente, les Bretons vivent de manière cyclique. Le cycle des saisons, à travers mort et renaissance, permet à leur environnement de se renouveler chaque année. Ce cycle si visible, et les fantaisies d'un climat tour à tour morose et chatoyant, ont influé eux aussi sur le caractère des gens d'ici. Comme la nature changeante qui l'entoure, on attribue aux Bretons à la fois un optimisme naïf et un intérêt paradoxal pour la mort et ses mystères. Cette dualité forme un tout ; elle imprègne la culture, la spiritualité, les traditions.

La proximité maritime détermine l'alimentation, les loisirs, les relations avec l'extérieur. Les ressources marines permettent le maintien des derniers « chasseurs-cueilleurs » que sont les pêcheurs, les ramasseurs de fruits de mer, les collecteurs d'algues. Les pratiques en amateur de la pêche, du ramassage de coquillages, de la chasse, ainsi que la cueillette de champignons, de mûres, de fruits sauvages, sont très populaires en Bretagne. Les produits du jardin se donnent aussi aux parents ou aux voisins, sans arrière-pensées de profit, lorsque tous les haricots ou toutes les salades arrivent à maturité en même temps. Nous l'avons dit, la nature, ici, est généreuse. Il n'est pas téméraire de penser que ces pratiques archaïques de chasseur-cueilleur ont une influence sur notre mental. Hors des activités professionnelles et des pratiques sociales d'achat-vente, elles favorisent les comportements communautaires traditionnels du don et du contre-don.

Les marées, dont le marnage est élevé sur la côte nord, impriment leur rythme à la vie locale. Elles agissent aussi sur les pratiques alimentaires, les savoirs-faires, les déplacements, le trafic maritime.

Une particularité de la Bretagne, reconnue dans le monde entier, est son humidité. Le crachin fait partie de nos richesses naturelles. Il est gravé à la fois dans le paysage et dans la mémoire des Bretons. La prospérité de la Bretagne entre le XVe et le XVIIe siècle était fondée sur un triptyque *culture de plantes textiles / fabrication de toiles / commerce maritime*. La production de lin nécessite un équilibre entre vent, humidité et soleil, surtout après arrachage de la plante, pendant le rouissage au sol. La culture du chanvre exige des conditions du même ordre. La possibilité climatique de ces cultures a favorisé le développement d'une industrie textile extrêmement prospère. La prospérité bretonne de cette époque a permis l'édification des innombrables églises, chapelles, enclos paroissiaux et manoirs que les touristes viennent admirer. Les toiles bretonnes, pour les vêtements comme pour les voiles des bateaux, se vendaient alors dans toute l'Europe. Le dernier élément du triptyque, le commerce maritime, approvisionnait une clientèle internationale. La magnificence étonnante de nombreux petits ports, nichés au fond des rias, porte témoignage de la richesse des marchands. *« Bretagne est Pérou pour la France »* disait-on alors à la cour du roi de France.

Le crachin est toujours là. Aujourd'hui, le triptyque n'est plus *culture de plantes textiles / fabrication de toiles / commerce maritime*. Dans le monde, le lin et le chanvre ont été détrônés par le coton et par les fibres synthétiques. Cela ne signifie pas qu'ils n'ont pas d'avenir, mais je poserai un autre triptyque pour les temps qui viennent : *biomasse / biotechnologies / échanges internationaux d'informations et de technologies sur le vivant*. Il ne faut plus limiter l'observation et « l'exploitation » de la biomasse à l'agriculture et à la production de produits végétaux et animaux pour la nourriture ou le vêtement. Remarquons que les cellules vivantes se multiplient continuellement ; que bien des végétaux repoussent après la coupe ; et que le lait, les œufs, le miel, la laine des moutons sont des produits d'origine animale qui peuvent se récolter sans sacrifier la bête. Ainsi, au-delà des produits alimentaires, le lait peut fournir des alicaments, des molécules rares, des bioplastiques, des colles, des liants pour peinture et bien d'autres choses. Les biotechnologies – l'agriculture n'en est qu'une partie - sont cruciales pour gérer au mieux les ressources renouvelables. Voilà bien un exercice pratique pour ceux qui cherchent à satisfaire à la fois les besoins humains et la protection de l'environnement, ou plutôt des environnements !

Ainsi, à la fois par la communauté humaine qui s'y est installée et qui y vit depuis plusieurs siècles, par son climat tempéré, par sa situation péninsulaire, par son humidité permanente, la Bretagne constitue un superorganisme original, un chaînon entre l'individu qui réside ici et Gaïa, le super-superorganisme qui englobe la diversité des superorganismes terrestres.

*Huitième et dernier chapitre*

# L'HYPOTHÈSE DE L'HERMINE

*Dans mon ouvrage « Enquêtes sur les prophéties de Merlin » (Ed. Yoran Embanner, 2011), j'ai évoqué une « hypothèse Merlin ». Je posais l'idée qu'un continuum socio-historique tend à installer les mécanismes qui lui permettent de se perpétuer. Ces mécanismes produisent une conscience collective, ainsi qu'un inconscient collectif. Certains individus, que l'on nomme prophètes, parviennent à entrer en contact avec ce niveau supérieur, ou du moins le prétendent-ils. C'est le cas de Merlin.*

*Je renomme mon hypothèse Merlin « Hypothèse de l'hermine », en référence au petit animal symbole de la Bretagne. Je dépasse l'exception que constitue le prophète et sa capacité à voir le destin collectif. L'hypothèse de l'hermine rassemble les éléments qui contribuent au destin collectif.*

## LES SOUS-HYPOTHÈSES RETENUES

Reprenons les différents éléments de notre hypothèse.

**1-1 : L'Awen est une source pérenne d'inspiration, en relation avec les paysages de Bretagne et en communion fraternelle avec les Bretons.**

**1-2 : L'Awen est accessible aux Bretons et à ceux qui souhaitent sincèrement y accéder.**

**2-1 : La communauté bretonne est un réseau de connivences.**

**2-2 : Il existe des champs émotionnels et cognitifs bretons.**

**3-1 : La culture bretonne est composée (1) d'une mémoire commune (un ensemble cohérent de mèmes), (2) d'une manière d'assembler et de comprendre les informations (une intelligence), (3) d'une conscience d'un bien commun, (4) d'un savoir-vivre et d'un art de vivre ensemble.**

**3-2 : L'État centralisé a marginalisé la culture bretonne. Après une longue période d'infériorité, les outils technologiques créent un environnement favorable (1) à une contreculture et (2) à la préservation et à l'expression d'une culture bretonne.**

**4-1 : Nous vivons actuellement une période historique d'hégémonie de la civilisation moderne sur les cultures traditionnelles. Cette hégémonie est aussi celle du fonctionnement social sur les pratiques communautaires.**

**4-2 : Le sentiment communautaire breton est d'une étonnante pérennité. Il est porté par l'espoir plus ou moins inconscient, soit de l'instauration d'une société bretonne, soit d'un déclin de la civilisation moderne.**

**5-1 : Une variation démographique à la baisse favorise le séparatisme et le nationalisme.**

**5-2 : Les forces d'attraction qui s'exercent sur la Bretagne se sont diversifiées. La France n'est plus le seul attracteur.**

**6.1 : La communauté humaine bretonne est partie prenante d'un superorganisme pérenne : l'écosystème péninsulaire armoricain.**

**6.2 : Les superorganismes présentent des phénomènes naturels d'associations et de synchronisations de leurs différents composants.**

Nous allons maintenant faire passer ces propositions par cinq entrées. Le but n'est pas tant de fournir des explications à ce que nous avons observé. Il est de replacer la cohésion bretonne et le sentiment d'appartenance dans des dynamiques du possible.

# LES INFLUENCES EXTERNES

La plupart des auteurs que nous avons rencontrés nous suggèrent que la cohésion sociale est apportée par une autorité extérieure. Quelle autorité ? Un prince, nous dit l'italien Nicolas Machiavel. Une institution, nous dit l'anglais Thomas Hobbes.

Et en Bretagne, quid de notre sentiment d'appartenance et de notre cohésion ? Nos institutions sont françaises. Elles suscitent une appartenance différente de l'appartenance à la communauté bretonne. Les services publics centralisés, dans les transports, l'éducation, la santé, la police ou les impôts sont bien plus puissants que les services publics locaux ou régionaux. Nous n'avons pas non plus un « prince », un duc caché, un *Général de Gaulle* exilé à Londres vers lequel nous pourrions nous tourner.

Une façon moderne d'aborder la question de l'autorité extérieure serait de passer du pouvoir politique au pouvoir économique. Idéalement, il faudrait alors un pouvoir économique fort, unifié, qui concernerait tous les Bretons. Un tel monopole sur l'activité économique n'existe pas en Bretagne. La situation économique peut contribuer à la cohésion et au sentiment d'appartenance quand elle est décisive. Un dénuement général peut réunir ceux qui sont frappés par la misère. Ce n'est pas toujours le cas, et l'observation des Iks[64], tribu africaine à la fois miséreuse et hyperindividualiste, le montre clairement. Dans l'autre sens, la prospérité pourrait créer une cohésion, par *ruissellement* de la fortune des plus riches sur ceux qui le sont moins. Là encore, la preuve d'un mécanisme automatique n'a pas été apportée.

L'influence externe peut être, non pas celle des princes ou des institutions, mais de la géographie. Pour l'Irlande ou l'Islande, l'insularité est une explication suffisante au sentiment d'appartenance. En ce qui concerne la Bretagne et sa situation péninsulaire, la conjecture d'une influence géographique est défendable. La vérification se ferait sur la plus grande conscience bretonne à l'ouest qu'en Haute-Bretagne. Cet argument a pu être valable autrefois. Aujourd'hui, les statistiques ne révèlent aucun effet significatif attribuable à la géographie.

La Troisième République française avait adopté une stratégie de stimulation d'une double appartenance, à la *petite patrie* et à la *grande patrie*. La grande patrie était évidemment la France. La petite patrie était, non pas la Bretagne, mais ce qui était appelé le *terroir*, c'est-à-dire une zone d'appartenance tribale. La cohésion sociale devait rester le monopole de la grande patrie. La Bretagne était court-circuitée dans cette alliance du localisme et du républicanisme.

La conclusion s'impose : les influences extérieures ne peuvent expliquer ni la cohésion bretonne ni le sentiment d'appartenance à la Bretagne.

Disons un mot à propos de l'appartenance liée à une proximité génétique. Elle constitue d'une certaine façon une influence extérieure, dans la mesure où elle est subie. La communauté de lignage peut être réelle, enseignée ou seulement ressentie. Nous appelons cette communauté le *clan*. Il est possible qu'autrefois, en particulier lors des invasions franques, une communauté de lignage ait pu être ressentie ou enseignée pour susciter une cohésion de défense commune. Aujourd'hui, le sentiment d'appartenance à la Bretagne ne peut s'expliquer par la proximité génétique.

## L'HÉRITAGE SUBLIMÉ

Un héritage peut être financier, matériel, culturel, historique, biologique. En tant que concept, il recoupe tout ce que nous venons de voir. Il a plusieurs avantages pour qui cherche à comprendre une cohésion de groupe et un sentiment d'appartenance. Le passé n'est plus un poids mort, mais une richesse qui se transmet de mémoires en mémoires. Le concept d'héritage sort la culture de son périmètre purement intellectuel.

L'inné et l'acquis convergent et deviennent relatifs. Génétique et épigénétique se complètent. La transmission n'est pas régie par des *lois*, qu'elles soient physiques, biologiques ou autres, mais par des *conventions*. L'héritage reçu n'est jamais tout à fait le même que l'héritage transmis. L'héritier n'en conserve que ce qui lui convient ou que ce qu'il en comprend. Il sélectionne ; cette sélection constitue la part centrale de ce qu'il transmettra à son tour.

La nature fait qu'un individu hérite de traits biologiques, qui se traduisent par un aspect extérieur, une couleur de peau, un potentiel. Il hérite aussi de *pulsions*. Pour celles qui sont ancrées dans l'hérédité la plus ancienne, on parle d'*instincts*. Cet héritage peut se transmettre par empreinte ou apprentissage dès la petite enfance ; d'aucuns parlent alors de *réflexes conditionnés*. Il peut se transmettre aussi par l'éducation et l'exemple à imiter. Nous avons vu tout cela dans le chapitre précédent. Une mémoire, une intelligence, une conscience, un savoir-vivre apparaissent, bref une culture telle que nous l'avons définie au chapitre 4.

La culture constitue la partie émergée de cet iceberg qu'est l'héritage breton. Les instincts en sont la partie la plus profonde, là où les rayons du soleil ne pénètrent pas. L'obscurité de l'inconscient le soustrait à notre regard. Entre les deux, nimbés d'une lueur incertaine, sont des éléments qui peuvent s'interpréter en termes d'habitudes d'une part, d'inspiration d'autre part. L'histoire et la mémoire collective ont chacune leur part de lumière et d'obscurité, leurs parts de faits avérés et d'interprétation. Les habitudes et l'inspiration dessinent nos comportements compulsifs, notre mémoire collective, mais aussi nos savoir-faire, nos savoir-être, nos savoir-penser, nos savoir-vivre, bref tous nos savoirs, qu'ils soient conscients, semi-conscients, inconscients.

Hériter, c'est s'approprier ce que d'autres ont accumulé. Dans le cas d'un héritage immatériel, le partage ne diminue pas la part respective des héritiers. Il semblerait cependant que, plus l'héritage est partagé, moins sont puissantes les connivences qu'il crée. Les langues internationales comme l'anglais banalisent l'échange. Les savoir-faire standards ne font pas briller les yeux de stupéfaction, d'admiration ou de désir. En revanche, la singularité de l'héritage breton en fait un objet d'attraction pour la plupart des héritiers.

Dans les sciences physiques, le terme de sublimation correspond au passage de l'état solide à l'état gazeux. La sublimation de l'héritage, par échauffement en l'absence de toute pression, en supprime les lourdeurs. Comme un gaz, il occupe tout l'espace de manière subtile. Des héritages culturels plus denses et soumis à une pression plus grande ont, à l'inverse, tendance à se cristalliser en une culture officielle. La sublimation fait de l'héritage breton un instrument de cohésion de groupe. L'héritier est alors fier de son appartenance. L'héritage sublimé rayonne à la fois sur l'héritier et sur le groupe. Nous avons rencontré ce rayonnement dans les fêtes folkloriques, mais aussi dans toutes les connivences que nous avons décrites au chapitre 3.

Le premier mode de sublimation est la diffusion de mythes. Les mythes sont facilement consensuels car, contrairement aux vérités, chacun peut les interpréter à sa façon. Lorsqu'un mythologue diplômé présente Merlin comme un prophète calédonien du VIe siècle, cela ne disqualifie en rien votre voisin qui le considère comme un enchanteur breton sympathique et vaguement moyenâgeux. Les mythes sont rassembleurs. Ainsi, l'histoire de France est ponctuée d'épisodes héroïques, de Jeanne d'Arc à la Résistance. Ces épisodes sont des points de rassemblement et les historiens n'en sont pas dupes. Jules Michelet le dit sans détour : « *La patrie d'abord comme dogme et principe. Puis, la patrie comme légende : nos deux rédemptions, par la sainte pucelle d'Orléans, par la révolution, l'élan de 92, le miracle du jeune drapeau, nos jeunes généraux admirés, pleurés de l'ennemi, la pureté de Marceau, la magnanimité de Hoche, la gloire d'Arcole et d'Austerlitz (...)* ».

En Bretagne, la mythification d'événements historiques connait des limites, du fait des interdits imposés par des mythifications plus puissantes. L'histoire officielle ne diffuse que les légendes officielles ; l'historien Michelet nous le certifie. Les documents sont triés d'avance. De la chouannerie à la période actuelle en passant par Breiz Atao, la sublimation de l'histoire de la Bretagne est impossible, sauf pour ceux qui ne reculent pas devant les légendes noires. La mythification peut se faire sur des domaines incontrôlés. Les arts et la culture se prêtent bien à de telles opérations. La « fête de la Bretagne » correspond à la fête de Saint Yves, dont le mythe justicier est ô combien rassembleur. Le roi Arthur et les chevaliers de la Table Ronde sont de bons mythes consensuels ; ils se perdent dans la nuit des temps et ils ont été repris, donc justifiés, par les littératures européennes.

Un autre mode de sublimation de l'héritage est l'humour. L'héritage sublimé de la Bretagne s'affiche sur les T-shirts, sur les autocollants de voitures, sur les réseaux sociaux. Il fait rire et, comme chacun sait, le rire est le propre de l'homme. Nous avons eu la vogue de l'expression « Breton et fier de l'être ». Puis sont venus d'autres slogans, dont l'humour ne cachait pas le plaisir de l'appartenance. « À l'aise Breizh ». « Kiss me, I am Breton ». « Dieu a inventé l'alcool pour que les Bretons ne soient pas les maîtres du monde ». « Pourquoi apprendre l'américain ? Bientôt, tout le monde parlera breton ». « Je n'ai pas choisi d'être Breton ; j'ai juste eu de la chance ». « Si la perfection n'existe pas sur terre, alors de quelle planète viennent les Bretons ? ». La Bretagne est une réponse souriante à la fois à l'individualisme et au mondialisme. C'est un clin d'œil, un défi, un bras d'honneur.

L'héritage partagé suscite un sentiment d'appartenance. La sublimation crée en permanence ce que nous pourrions appeler des *connivences mémétiques*. L'héritage culturel est un ensemble de mèmes dont le partage est nécessaire ; la sublimation rend le partage agréable pour celui qui donne et pour celui qui reçoit.

## FUSIONS ET COMMUNIONS

L'unification des pensées et des volontés peut aller au-delà de la connivence, tout comme les mouvements d'une foule en colère dépassent en intensité la colère des individus qui la composent. Bien des manifestants ne peuvent expliquer les actes qu'ils ont commis, alors qu'ils étaient immergés dans les cris, les slogans et l'ardeur collective. Quand les connivences deviennent des fusions, une frontière est franchie. Par prudence, scientifiques et psychologues rationalistes restent en deçà. Le mot de *passion* est alors utilisé, mais il n'explique rien. Le *passionné* puise dans une énergie qui n'est pas seulement la sienne.

Voir la cohésion et l'appartenance comme une fusion spirituelle n'est pas quelque chose de nouveau. Selon Saint Paul, la communion des chrétiens constitue le *corps mystique*. *« En un corps unique, nous avons plusieurs membres, qui n'ont pas tous la même fonction ; de même, nous qui sommes plusieurs, nous sommes un seul corps dans le Christ »* (Rom, 12). L'Église considère aussi le couple marié comme une entité fusionnelle : *« Les deux ne feront plus qu'un »*. Nous retrouverions la même sensation et les mêmes mots dans d'autres religions et dans d'autres traditions.

Les prières collectives expriment la croyance en une force supérieure issue de l'union des désirs. Cette pratique existe sur tous les continents et depuis des temps immémoriaux. Il serait présomptueux de considérer qu'elle est sans effet et que les pratiquants n'ont jamais remarqué cet échec. Il ne faut pas imaginer que tous ceux qui nous ont précédé sur Terre sont des imbéciles, bernés par des illusionnistes. Les Bretons invoquent des protectrices comme Sainte Anne ou Notre Dame. Ils font appel à Saint Yves pour éclairer un procès ou un différend. Chaque paroisse a son saint protecteur, chaque maladie à son intercesseur. J'ai moi-même parfois la sensation que des prières adressées à mes parents décédés sont efficaces. J'ai aussi parfois, à l'inverse, la sensation que les désirs qui peuplaient l'âme de mes parents décédés continuent à agir sur mon univers proche. Il a été donné le nom d'*égrégores* aux phénomènes étonnants qui apparaissent lorsque la cohésion de groupe dépasse les intérêts individuels. Le terme est repris d'un vers de Victor Hugo dans *La Légende des Siècles*, sans que l'on sache ce que le poète voulait vraiment signifier. Les occultistes voient l'égrégore comme une créature immatérielle, douée d'une volonté, et autonome par rapport au groupe qui l'a créé.

L'homme a fabriqué, au cours des siècles, d'innombrables *choses*, d'innombrables entités matérielles. Il a aussi créé des entités psychiques : religions, idéaux, idéologies, croyances diverses. Posons pour hypothèse la possible création d'une entité immatérielle par un groupe en communion spirituelle. L'originalité de l'égrégore est la forme qu'il prend et son autonomie par rapport à ceux qui l'ont créé. Ainsi en est-il de la forme d'une manifestation politique ou syndicale, qui peut échapper à ses organisateurs. La forme d'un égrégore n'est pas prévisible ; elle dépend au départ de ceux qui la créent, puis ensuite de ceux qui en sont possédés. La question de son autonomie se pose lorsque son existence est pérenne, même après la dissolution du groupe qui l'a créé. Sa puissance dépend de ceux qui y croient. Il en est de même pour toutes les entités immatérielles, y compris les idéologies les plus matérialistes. Le marxisme peut être vu comme un égrégore, né de communions spirituelles durant le XIXe siècle, et dont l'action a bousculé le XXe siècle. Un égrégore « Bretagne », né de communions spirituelles anciennes et revitalisé régulièrement au cours des siècles, est une hypothèse originale qui peut expliquer des comportements « militants » irrationnels. Ces comportements existent, qui vont de solidarités imprévues jusqu'aux sacrifices les plus divers, y compris extrêmes.

## SUR LA MÊME LONGUEUR D'ONDE

Les besoins vitaux de l'être humain font l'objet d'innombrables certitudes. L'accord minimal se fait sur les besoins de subsistance : se nourrir, s'hydrater, se protéger du froid. Je ne chercherai pas à contester ce qui a déjà été dit par de prestigieux penseurs. Je ne chercherai pas non plus à établir de nouvelles vérités universelles sur ce sujet. Ce que je constate dans mon entourage, et assez généralement chez les Bretons, c'est un besoin de s'harmoniser ; un besoin d'être « sur la même longueur d'onde ».

Je m'explique. Le besoin de communication est considéré généralement comme un besoin d'interactions. Il faut parler, il faut échanger. Ce que je remarque chez les Bretons est différent. Il y a clairement un besoin de voir la mer, de communier avec des paysages, d'être en phase avec la famille ou des amis. Mais le besoin d'interférer n'est pas systématiquement présent. Les Bretons peuvent être taiseux tout en étant heureux. Ils peuvent communiquer et même entrer en communion avec quelqu'un ou quelque chose sans échanger des mots. Les sauveteurs en mer, appelés autrefois HSB, *Hospitaliers Sauveteurs Bretons*, jouissent chez nous d'une incroyable popularité. La raison en est qu'ils se synchronisent avec la détresse de naufragés qu'ils ne connaissent pas. Ils partent les sauver au péril de leur vie. Dans toutes les guerres, les Bretons ont une fâcheuse tendance à se sacrifier pour les autres. La conscience de leur propre intérêt est peu développée ; tout au moins, elle n'est pas tyrannique.

Je connais des Bretons qui se synchronisent avec les lieux de leur enfance ; de l'extérieur, cela est moqué comme une incorrigible nostalgie. J'en connais qui font de la fidélité une vertu, là où d'autres n'y voient que soumission. Les Bretons font de leurs fêtes, de leurs sports, de leurs danses autre chose que des arts ; ce sont des communions. Le culte des morts n'est pas l'observance d'une tradition ; c'est une manière toujours renouvelée d'entrer en contact avec les trépassés. Les pèlerinages les connectent à d'autres pèlerins, venus du présent comme du passé. Leurs révoltes les renvoient vers leurs ancêtres révoltés, dont les plus symboliques sont les Bonnets rouges, qui se révoltèrent en 1675. N'essayez pas de donner une explication purement rationnelle à nos comportements. Cela nous apparaîtrait faux et, de plus, injurieux.

Le besoin d'harmonisation est un des chemins qui nous mènent au cœur mystérieux de la cohésion bretonne et de notre sentiment d'appartenance. La cohésion de groupe est bien plus puissante que ce que l'on nomme *l'intérêt collectif*. Notre sentiment d'appartenance est bien plus profond qu'une simple adhésion. Je crois que nos besoins primaires de perception, d'action ou de compréhension sont subordonnés au besoin d'harmonisation.

Comment aborder ce besoin d'être *sur la même longueur d'onde* ? Eh bien, commençons en postulant justement l'existence d'ondes. Nous ne sommes pas les seuls. J'ai cité au premier chapitre les expériences de mécanique quantique d'Alain Aspect. Elles montrent que les particules sont synchrones lorsque leur fonction d'onde est unique. Nous avons rencontré dans les mouvements des nuées d'oiseaux des synchronisations dont la seule explication, pour l'instant, serait l'existence d'*ondes de manœuvre*. L'électroencéphalogramme enregistre des ondes produites par l'activité du cerveau. Plusieurs types de fréquences ont ainsi été classées pour caractériser des états de conscience. La concentration sur un objet donné provoque l'activation de diverses zones du cerveau, ce qui signifie que les neurones, d'une façon ou d'une autre, se synchronisent ou se répondent. Il n'est pas aberrant de considérer que le phénomène de cohésion de groupe chez les humains, ainsi que le sentiment d'appartenance, sont des phénomènes ondulatoires. L'idée que des ondes peuvent être associées à des phénomènes collectifs fait partie du langage commun. On dira qu'untel émet des ondes négatives et que, dans telle réunion, les ondes étaient positives. Le phénomène est suffisamment accessible à tous pour que l'on en fasse, non pas une vérité sanctionnée par un tribunal scientifique, mais une conjecture plausible. Après le festival des Vieilles Charrues, les interviews des artistes révèlent chaque année leur satisfaction de s'être trouvé « en phase » avec le public breton. Un concept connexe à celui d'*onde* est le concept de *champ*. L'espace est constitué de champs d'ondes qui engendrent diverses forces entre les corps. Nous avons suffisamment parlé précédemment de champs mémoriels, de champs cognitifs, de champs moteurs, de champs d'attractions, sans qu'il soit nécessaire d'y revenir.

# LE DIALOGUE DES (ID)ENTITÉS

Les Bretons font partie à la fois de l'écosystème péninsulaire et de l'humanité. Dans les sujets qui nous occupent, que ce soit l'identité, la cohésion de groupe, le sentiment d'appartenance, nous devons poser des hypothèses sur la nature humaine. Il est habituel de faire la différence entre le corps et l'esprit. Selon les auteurs, des plus antiques jusqu'aux plus modernes, les définitions varient, la dualité s'aiguise ou s'émousse. Il peut s'y rajouter un troisième élément, l'âme. En recopiant Platon, Saint Paul, les sages musulmans, les chamans sibériens et bien d'autres, je pourrais dresser une brillante bibliographie de plusieurs centaines de pages. Non, ne craignez rien, je ne vous infligerai pas cette inutile digression. Disons seulement qu'à la dualité corps-esprit, il manque quelque chose, que l'on retrouve dans le concept d'âme.

J'ai introduit au chapitre 6 le terme de *matière-énergie*. Depuis Einstein, la notion d'énergie a cet avantage qu'elle recoupe le concept de matière, donc de corps, mais pas seulement. L'énergie peut être physique, mais aussi psychique. Elle peut concerner les sentiments, les sensations, la mémoire. Chaque cellule et chaque organisme dispose de sa propre énergie, et aussi chaque superorganisme. Chaque être vivant conscient de lui-même a, outre son corps matériel, une mémoire, une intelligence, des réflexes, des réactions conscientes.

Je sais bien que le concept d'énergie peut être compris de différentes manières. Il est utilisé par des physiciens, des psychologues, des biologistes, des hommes politiques, des mystiques, des ignorants, des artistes. Je l'emploie ici parce que la dualité corps-esprit ne convient pas aux observations sur l'identité. Je préfère la différence entre, d'une part ce qui constitue une personnalité, d'autre part la façon dont elle fonctionne. **La matière-énergie est le *constituant* : constituant de la matière, constituant des formes, constituant des connaissances, constituant de l'intelligence et des actes qui en découlent**.

Maintenant, reprenons nos quatre niveaux de la culture. Le premier niveau est celui des informations accumulées. Le second est celui de l'intelligence, de la compréhension des relations entre les données. Le troisième niveau est celui de la conscience, de l'imagination créatrice, de l'*intention*. Le quatrième niveau est celui du savoir-vivre et de l'art de vivre ensemble. Les deux premiers niveaux correspondent à la matière-énergie. Tout y est localisé par la science moderne dans l'individu lui-même, dans ses gènes, dans ses neurones, dans son cerveau, dans son corps entier. Les deux autres niveaux sont plus subtils. Même s'ils s'appuient sur les deux premiers, ils continuent à exister lorsque la mémoire flanche et que l'intelligence s'affaisse. Observez les grands vieillards. Observez-les, non pas superficiellement, non pas d'un point de vue de clinicien. Trouvez une voie de communication qu'ils puissent utiliser. Même dans les cas de démence sénile, il leur reste une étincelle qui ne correspond plus ni à un savoir ni à une intelligence. Cette étincelle les relie à quelque chose de profond, qui s'est déjà exprimée dans des actes de prime jeunesse. Ils « retournent en enfance », c'est-à-dire à une réalité première de leur identité. Malgré leur handicap, vous sentez qu'ils restent humains et qu'ils restent eux-mêmes.

Ajoutons donc à la matière-énergie un moteur composé de conscience, d'imagination créatrice et d'intentions. Mais ce moteur n'est toujours pas suffisant pour définir ce qu'est la nature humaine. Les interactions entre humains obligent à rajouter un émetteur-récepteur. L'idée d'un appareil émetteur-récepteur est trivial, mais il correspond à ce que d'autres, qui ne connaissaient pas les appareils sophistiqués du XXIe siècle, ont exprimé. Emmanuel Kant résume assez bien le concept : *« Il sera prouvé un jour, je ne sais ni où ni quand, que l'âme humaine, dès cette vie-ci, jouit d'un rapport indissoluble avec toutes les natures immatérielles du monde spirituel et que, réciproquement, elle agit sur elles en même temps que celles-ci lui communiquent des impressions ».*

**Le complément à la matière-énergie, qui est le *constituant*, est un appareil immatériel, à la fois moteur, émetteur et récepteur**. Il correspond à ce que d'autres ont nommé l'*âme*. Le mot français d'*âme* est la traduction de divers termes issus de diverses langues. Il est donc furieusement polysémique. Là encore, je ne vais pas réaliser une longue introduction bibliographique qui n'aurait d'autre utilité que d'aligner des références prestigieuses et d'étourdir le lecteur. Je m'en tiendrai à définir l'âme comme un appareil immatériel à la fois moteur, émetteur et récepteur.

Ce moteur est indépendant du cycle de la vie. Il ne naît pas, il ne vieillit pas. Certains penseurs en ont déduit que l'âme n'est pas soumise à la mort. Plusieurs religions considèrent que l'appareil appartient à un Dieu suprême. Il le reprend et, s'il a mal fonctionné, l'envoie dans un enfer-poubelle. D'autres pensent que l'appareil, quand un individu meurt, est recyclé chez un individu à naître. Les énergies et les informations qui y ont transité n'y sont plus. La mémoire a été vidée. L'appareil a été réinitialisé. D'autres encore croient que, s'il reste suffisamment d'énergie après la mort, l'appareil continue à fonctionner. Il peut émettre des formes fantomatiques, des mouvements plus ou moins visibles, des sons, des désirs, le tout sans médiation matérielle. Chaque individu utilise à sa manière l'appareil, le mode d'emploi n'étant pas fourni. Le potentiel est énorme. L'émetteur-récepteur permet de communiquer avec tous les organismes et superorganismes, à différents niveaux de réalité. Certains individus, que j'ai nommé *mystiques* dans le premier chapitre, y réussissent mieux que d'autres. Leur âme peut se mettre en relation avec d'autres âmes intemporelles ou transcendantes.

Allez, je viens de décrire l'âme humaine d'une manière inhabituelle, à la fois mécaniste et enjouée. Il ne faut pas y voir un rejet de la spiritualité. Je ne refuse pas de croire en l'existence de divinités, d'un paradis ou d'un enfer, de réincarnations, de fantômes. Ce sont là, pour moi, non pas des articles de foi, mais des réalités potentielles, en phase avec les capacités de l'âme humaine. Des personnes estimables y ont cru, d'autres ont expérimenté ces réalités, et je serais bien présomptueux de les balayer d'un revers de manche. Entités spirituelles et identités se rejoignent dans une notion que je nomme les (id)entités.

Comme tout appareil moteur-émetteur-récepteur, l'âme remplit au mieux sa fonction sous certaines conditions. Ces conditions ont été explorées par des milliers d'aventuriers, de tous temps et de tous lieux. Ils ont expérimenté le songe endormi, le songe éveillé, le jeûne, l'ascèse, la prière, la danse, différents rites, l'absorption de substances hallucinogènes, la transe exploratoire. L'âme sort alors du temps et de l'espace de la matière-énergie, pour s'en aller communiquer avec d'autres âmes. De ces mystérieux échanges, elle rapporte des éléments issus d'autres entités, d'autres mondes, d'autres niveaux de réalité.

Beaucoup d'entre nous confient leurs questions à l'appareil de communication spirituelle dont ils disposent. Les poètes se félicitent souvent de la capacité de leur âme à communiquer avec l'âme d'un paysage lors d'un songe éveillé. Les partisans du *New Age* recourent aux drogues psychédéliques. Wagner, Mozart, Beethoven, Saint-Saëns ont avoué avoir rêvé leurs musiques avant de les composer. Edison s'organisait de courtes siestes pour trouver une solution à un problème technique en suspens. Newton et Einstein ont déclaré que leurs idées de génie leur sont venues pendant leur sommeil. Venues… Les génies ne sauraient dire exactement d'où elles viennent, mais ils considèrent que leurs idées ne préexistent pas dans leur cerveau ; elles y viennent.

Le concept de l'âme communicante et des (id)entités n'est pas une intuition nouvelle. Le *troisième œil* des traditions orientales symbolise cette capacité de communication subtile. Le troisième œil est l'émetteur-récepteur de mon appareil. Il permet de se connaître soi-même, mais aussi de communiquer avec d'autres âmes. Chez les Égyptiens du temps des pharaons, les dimensions de l'être humain étaient bien plus variées que l'être humain unidimensionnel des matérialistes, ou que les deux dimensions corps et esprit des dualistes. Parmi ces dimensions, L'*âme-Ba* fait le lien entre l'individu vivant et le monde inspirant des dieux et des morts. A la mort, le *Ba* des inspirés s'en va vers cet autre monde, tout en restant en relation avec les vivants. Le *Ba* des dieux et des hommes inspirés peut trouver demeure dans des statues, des arbres, des animaux, des lieux.

Le concept d'âmes communautaires a déjà été évoqué ici. Au premier chapitre, nous avons croisé Herder et son concept des « âmes nationales ». Ernest Renan, dans sa conférence « Qu'est-ce que la nation » lui emboîte le pas. « *Une nation est une âme, un principe spirituel* ». Je n'apporte donc rien d'original en posant l'existence d'une âme pour la communauté bretonne. Je l'aborde seulement de façon nouvelle, j'en parle comme d'un appareil moteur-émetteur-récepteur. J'en parle comme d'une (id)entité. Je persiste dans la mise en garde que j'avais formulée dans le quatrième chapitre. L'âme bretonne n'est pas une somme de traits culturels, ni même un savoir-vivre. **L'âme bretonne est un moteur, un émetteur et un récepteur. Elle porte une *intention* qui transcende les individus. Elle communique avec d'autres âmes, celles des individus, celles d'autres superorganismes, celle de Gaïa.**

## L'HYPOTHÈSE DE L'HERMINE

Tout ce que nous venons de passer en revue constitue ce que j'appelle *l'hypothèse de l'hermine*. Le défi maintenant est d'en faire une synthèse. Ne nous faisons pas d'illusions. Elle ne pourra rendre compte complètement de la variété de nos réflexions. Tentons quand même cette synthèse.

La Bretagne est un écosystème. Qu'est-ce à dire, le mot « écosystème » étant devenu un mot-valise qui émaille les discours des technocrates et des politiciens ? Revenons à la définition première. Un écosystème est un ensemble identifiable, formé par un biotope et une biosphère. Le biotope est le cadre physique. Le biotope de l'écosystème breton est la péninsule armoricaine, avec sa position géographique unique, ses rivières, ses minéraux, ses rivages, ses paysages, son climat tempéré et humide. La biosphère bretonne est l'ensemble des êtres vivants qui résident dans la péninsule et sur ses côtes : humains, animaux, plantes, microbes. L'écosystème breton fonctionne comme un être vivant. Il se maintient en l'état et régule lui-même son fonctionnement ; les biologistes nomment ce phénomène l'homéostasie. Les éléments qui le composent se renouvellent continuellement ; les biologistes nomment ce phénomène l'autopoïèse. L'écosystème breton peut être crédité de réactions, qui sont d'abord celles de sa biosphère. L'exemple le plus connu est celui des marées vertes, ces algues flottantes qui envahissent les côtes de Bretagne lorsque revient le printemps.

Nous créditons la Bretagne d'une culture composée de quatre niveaux : une mémoire, une intelligence, une conscience, un savoir-vivre. La culture bretonne est celle d'une communauté humaine enracinée dans la péninsule, partie prenante de l'écosystème. Elle peut être décrite par un ensemble cohérent de mèmes. L'hypothèse de champs mémoriels et de champs cognitifs nous suggère un stockage d'informations hors du cerveau humain, analogue à la mémoire externe stockée dans le *cloud* et accessible par l'internet. Les informations y sont disponibles, à condition de connaître les codes d'accès. Les rêves, la télépathie, les phénomènes de précognition font soupçonner l'existence de ces champs immatériels. Des expériences troublantes ont été réalisées. Toutefois, l'exploration de ce domaine est mal acceptée par la science matérialiste.

Les niveaux supérieurs de la culture transcendent les individus humains. D'ailleurs, il est commun d'en appeler à la *conscience collective*. L'appel peut s'adresser à tous les types de communautés, de la famille jusqu'à la communauté humaine. On peut supposer qu'une communauté pérenne comme la communauté bretonne possède une conscience collective pérenne.

L'hypothèse de l'hermine postule que la communauté bretonne, comme toutes les communautés enracinées durablement dans un écosystème, est présente à des niveaux différents de l'existence individuelle. Il est possible de percevoir ces niveaux à travers des connivences, des savoirs partagés, des vibrations, une conscience collective. Au niveau le plus élevé, ce que j'ai nommé *l'âme de la Bretagne* est un élan vital, ainsi qu'une capacité à nous relier à d'autres âmes, à d'autres (id)entités.

La conscience collective nous apprend un art de vivre ensemble et nous ouvre trois horizons. Le premier est celui de l'action, dans le cadre d'une aventure sous le soleil du collectif. Le second est celui la création, qui enrichit l'héritage communautaire et humain. Le troisième est celui de la relation : relation à l'Awen, au passé, aux paysages, aux animaux et aux plantes, mais aussi aux autres et à Gaïa. Pour se relier à ce qui est différent, il faut être conscient de sa propre identité et de sa relativité.

L'identité bretonne donne un sens à notre vie individuelle, collective, humaine. Un sens, c'est une signification ; c'est aussi une direction. Être breton nous pousse à nous aventurer vers ces trois horizons. Pour clore ce livre, je vais illustrer nos déambulations dans les mystères de l'appartenance et de la cohésion communautaire, ainsi que les trois horizons qui se dévoilent à nous, en un dessin final.

*(Fin du deuxième livre de la série « Qu'est-ce qu'une nation au XXIe siècle ? »)*

# Représentation de l'hypothèse de l'hermine :

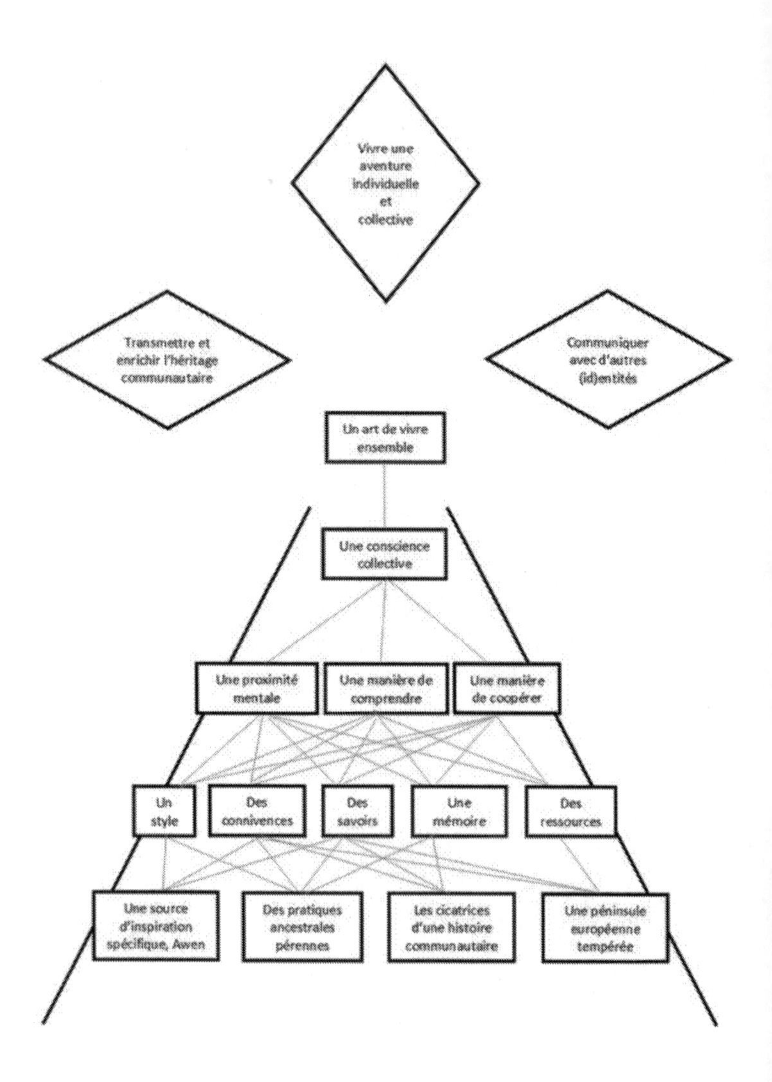

# QUELQUES NOTES ET RÉFÉRENCES SIGNIFICATIVES

*Les références et les faits scientifiques évoqués ici sont ceux d'une époque, la fin du XXe siècle et le début du XXIe siècle. Il faut les considérer comme illustratifs, non pas d'une vérité, mais d'une époque. Je demande au lecteur du futur une certaine clémence par rapport à ce que je présente comme des avancées scientifiques, et qui n'en seront plus au moment où il me lira. Qu'il n'en tire aucune vanité. Sa science, même si elle est plus avancée que la mienne, n'est pas plus définitive. Les connaissances continueront à évoluer après moi ; elles continueront aussi après toi, cher lecteur.*

---


1 D. A. Horr, « Orangutan maturation: Growing up in a female world ». Cité par S. Chevalier-Skolnikoff & F. Poirier (Eds.), Primate biosocial development: Biological, social and ecological determinants. New York, Garland Publishing, 1977.
2 B. Cyrulnik, « Les nourritures affectives », Ed O. Jacob, 2000
3 N. Tinbergen, « la vie sociale des animaux », Ed. Payot, 1979.
4 N. Tinbergen, op. cit.
5 K. Lorenz, « évolution et modification du comportement », Payot ; 1974.
6 N. Tinbergen, op. cit.
7 Cité dans SCIENCE ET VIE n° 760, janvier 1981, p. 56-65
8 J. Ruffié, « De la Biologie à la culture », Flammarion, 1983
9 Jérôme Fourquet, « L'archipel français », Ed. Seuil, 2019
10 http://classiques.uqac.ca/classiques/Comte_auguste/systeme_politique_positive/systeme_politique_positive.pdf
11 Pierre Bourdieu, « Sur l'État. Cours au Collège de France, 1989-1992 », édition établie par P. Champagne, R. Lenoir, F. Poupeau et M.-C. Rivière, Paris, Ed. Seuil, 2012.
12 Maurice Halbwachs, « La morphologie sociale », Paris, Ed A. Colin, 1970.
13 http://classiques.uqac.ca/classiques/mauss_marcel/essais_de_socio/T5_cohesion_sociale/cohesion_sociale.html

14 Claude Lévi-Strauss, « Les structures élémentaires de la parenté ». Paris, La Haye : Mouton et Maison des sciences de l'Homme, 1967
15 https://www.sciencedirect.com/science/article/abs/pii/S0003347280801278?via%3Dihub
16 https://www.nature.com/articles/309344a0
17 Maurice Halbwachs « Les cadres sociaux de la mémoire », Ed Albin Michel, 1994
18 Helmut Schmidt « Mental influence on random events », New Scientist and Science Journal, London, June 24, 1971
19 Rémy Chauvin « Quand l'irrationnel rejoint la science », Ed Hachette, 1980
20 La thèse de René Peoc'h est disponible sur http://psiland.free.fr/savoirplus/theses/peoch.pdf
21 Erwin Schrödinger, « L'esprit et la matière », Ed Seuil, 2011
22 https://fr.wikipedia.org/wiki/Exp%C3%A9rience_d%27Aspect#R%C3%A9sultats_de_l'exp%C3%A9rience
23 Voir en particulier : Jean Michel Guilcher : « La tradition populaire de danse en Basse Bretagne », Coop Breizh, 2007
24 Hersart de la Villemarqué., « Barzaz Breiz » Ed Perrin, Paris 1963
25 « La Bezenn Perrot » ou « le Bezen Perrot » ? Je m'en tiens au féminin et à la première orthographe, parce que c'est ainsi que m'ont écrit des anciens de cette formation militaire.
26 Voir en particulier les travaux de George Herbert Mead.
27 Voir en particulier : Tzvetan Todorov, « Les abus de la mémoire », Ed Arlea, 2004 ;Jacques Le Goff, « Histoire et mémoire », Ed Gallimard, 1988 ; Eric Keslassy et Alexis Rosenbaum, « Mémoires vives », Bourin éditeur, 2007.
28 Voir en particulier : Antonio Damasio, « L'erreur de Descartes », Ed Odile jacob, 2010
29 Voir en particulier : Muller Pierre-Eugène. De l'instruction publique à l'éducation nationale. In : Mots, décembre 1999, N°61. pp. 149-156
30 Robert O. Paxton, « La France de Vichy, 1940-1944 ». Ed Seuil, 1973
31 Voir en particulier : Zeev Sternhell, « la droite révolutionnaire, les origines françaises du fascisme », Ed Gallimard, 1997 ; « Ni droite ni gauche, l'idéologie fasciste en France », Ed Fayard, 2000
32 Pierre Péan, « Une blessure française », Ed Fayard, 2008
33 Gracchus Babeuf, « La guerre de Vendée et le système de dépopulation », Ed du Cerf, 2008
34 Marshall Mac Luhan « Pour comprendre les médias », Seuil, coll. Points, 1968
35 L'esprit des Lois, Livre XXIX, chapitre XVIII

36 Voltaire a spéculé pendant toute sa vie, ce qui explique son immense fortune. Pour se faire une idée de son appétit pour l'argent et les manœuvres financières, des prêts qu'il consentait à des taux exorbitants, en dehors de toute éthique, le livre *Ménage et finances de Voltaire* (1854), de Louis Nicolardot est très éclairant. L'ouvrage est téléchargeable sur Google-books.
37 « Rencontre de cultures et pathologie mentale en Bretagne », Coll. Ed. Institut Culturel de Bretagne, 1983.
38 En fait, honte et faute ne sont pas des termes homologues. Il faudrait parler, comme Nietzsche, de dette et de faute, ou alors de sentiment de honte et sentiment de culpabilité.
39 J. Marzin, « Les armateurs morlaisiens et la guerre de course », Ed Le Bouquiniste, Morlaix 1985.
40 Paul Ricoeur, « La mémoire, l'histoire, l'oubli » Ed Seuil, 2000
41 Claude Hagège « L'homme de paroles » Ed Fayard, 1985.
42 J.N Biraben « Essai sur l'évolution du nombre des hommes », Population, Janvier-Février 1979.
43 Voir entre autres : J. Rifkin « Entropy, a new World View », Ed Paladin, 1985
44 Voir le site populationetavenir.org
45 Voir https://halshs.archives-ouvertes.fr/halshs-01096587/document
46 Voir « Évolution de la population chinoise depuis le début de l'ère chrétienne » dans *Population*, année 1962 / 17-2 / pp 339-346. https://www.persee.fr/doc/pop_0032-4663_1962_num_17_2_10107
47 Rupert Sheldrake, « Une nouvelle science de la vie, Ed. du Rocher, 2003
48 https://fr.wikipedia.org/wiki/Exp%C3%A9rience_de_Miller-Urey
49 J. de Rosnay, « L'aventure du vivant », Ed. du Seuil, 1966
50 http://www.snv.jussieu.fr/origines/appr8.html
51 Ilya Prigogine, prix Nobel de chimie 1977. https://fr.wikipedia.org/wiki/Ilya_Prigogine
52 Cité par J. Ruffié, op. cit.
53 Cité dans « Lettre ouverte aux parents des petits écoliers », P. Debray-Ritzen, Ed. Albin Michel, 1978.
54 Cité par Y. Christen, « l'heure de la sociobiologie », Ed ; Albin Michel, 1979
55 Cité par J.P. Changeux, « l'homme neuronal », Ed Fayard, 1983
56 « Génétique et adaptation ; le point des connaissances chez les volailles » INRA Productions animales 2002.
57 L. Bourdel, « Groupes sanguins et tempéraments », Ed. Maloine, 1960
58 Etude citée dans Science et Vie, n° 791, Août 1983, p. 63
59 Dominique Lestel, « Les origines animales de la culture », Flammarion, 2001
60 Cité par J.P. Changeux, op. cit., p 222

61 Lynn Margulis, Dorion Sagan, « Microcosmos, Four Billion Years of Evolution from Our Microbial Ancestors », Summit books, 1986./ « L'univers bactériel », Ed seuil, 2002
62 James Lovelock, « La Terre est un être vivant ; L'hypothèse Gaia » Ed. Flammarion, 2010
63 JH Brooke, « Science and religion : some historical perspectives », Cambridge University Press, 1991
64 Colin Macmillan Turnbull, Claude Elsen et all, « Les Iks : Survivre par la cruauté », Ed France-Loisirs, 1988

Printed in Great Britain
by Amazon

29147562R10112